主 编 张黎
Chief Editor   Zhang Li

商务汉语系列教材
Business Chinese Readers

商务汉语入门——日常交际篇
Gateway to Business Chinese
Daily Communication

编著　聂学慧
Compiler   Nie Xuehui
英文翻译　熊文华
English Translator   Xiong Wenhua

中国国家汉办赠送
Donated by Hanban, China

图书在版编目(CIP)数据

商务汉语入门——日常交际篇/张黎主编. —北京：北京大学出版社，2005.5
(商务汉语系列教材)
ISBN 7-301-08744-6

Ⅰ.商…　Ⅱ.张…　Ⅲ.商务－汉语－口语－对外汉语教学－教材　Ⅳ.H195.4

中国版本图书馆 CIP 数据核字（2005）第 015534 号

书　　　　名：	商务汉语入门——日常交际篇
著作责任者：	张 黎　主编　聂学慧　编著
英 文 翻 译：	熊文华
责 任 编 辑：	邓晓霞　dxxvip@vip.sina.com
标 准 书 号：	ISBN 7-301-08744-6/H · 1455
出 版 发 行：	北京大学出版社
地　　　　址：	北京市海淀区成府路 205 号　100871
网　　　　址：	http://cbs.pku.edu.cn
电　　　　话：	邮购部 62752015　发行部 62750672　编辑部 62753334
电 子 信 箱：	zpup@pup.pku.edu.cn
排 版 者：	国美嘉誉文化艺术有限公司
印 刷 者：	北京大学印刷厂
经 销 者：	新华书店

787 毫米 × 1092 毫米　　16 开本　　18.25 印张　　406 千字
2005 年 5 月第 1 版　　2005 年 5 月第 1 次印刷

定　　　　价：56.00 元

《商务汉语》系列教材编写说明

编写目的

　　随着中国的发展，中国与世界各国，尤其是与发达国家之间的交往、贸易以及商务活动越来越多，从而推动了外国人学习中文的热潮。据调查，全球已有超过100个国家开设汉语教学课程，学习汉语的人数达到3000万人，有12400余所各级各类学校开设汉语课程，在学学生达330多万人。2003年全球参加汉语水平考试的考生人数达30万人，创历史新高。而学习汉语的人当中，很多人是为了与中国做生意或在与中国有关系的公司中工作，中国经济的飞速发展为全世界提供了巨大的商机，外国企业纷纷到中国寻求发展机会。同时，随着中国成为"世界工厂"，十几万外国企业落户中国，几十万外国企业家和经营管理人员在中国工作。以上这些人都有掌握一些用汉语交际的能力的需求，以满足商业交往与沟通的需要。为此，在中国国家对外汉语教学领导小组办公室的支持下，我们编写了这套《商务汉语系列教材》。

适用对象

　　想学习汉语的工商界人士中，很少有人能够抽出一段相对集中的时间去学校系统地学习汉语课程，他们大多只能在有限的业余时间内参加速成班、进行个别教学或者自学。他们不是把汉语作为学校里的专业去学习，并不期望系统地掌握非常流利的汉语，而是希望学习与商务往来有关的一些实用的基本语言知识和技能，以便能够克服商务活动中的基本语言障碍，改善与中国人沟通的效果，增加成功的机会。本教材就是针对这些人的特殊需求编写，适用于完全没有或只具有一点汉语基础的、母语为汉语以外的语言的工商界人士以及其他希望学习一些基础商务汉语的人。

技能目标

　　中外经济、商务交往，本质上是一种跨文化的交际行为。为了商业的成功，首先必须消除作为交际工具的语言方面的障碍，其次要消除文化的障碍，理解和掌握目的语所代表的文化、特点和规则，所以外国人学习商务汉语要获得的能力包含三个方面：

　　（1）与商务活动相关的、实用的、基本的汉语语言知识和技能。

　　（2）在中国经济环境下开展商务交际的能力，需要掌握基本的中国经济环境的特点、经济活动规则，既应包括贸易、投资、合作的方面的交际能力，也应包括企业管理方面的交际能力。

（3）在中外经济交流与合作的背景下的跨文化交际能力，包括商务礼俗、惯例和中国文化背景知识。

因此，商务汉语教学应该是以语言为载体、结合商务活动和跨文化认知的三位一体的能力培养。这种能力体现在语言交际技能上，可以划分由低到高的4个层次：

（1）必要的礼节性交际技能，如欢迎、问候、介绍、道歉、祝贺等。

（2）实用日常交际技能，如购物、旅行、乘车、通信、约见等。

（3）基本商务信息交流技能，如介绍公司、说明产品、询价、报价、征询意见、陈述意见等。

（4）一定的协商、洽谈技能，如讨价还价、制定与修改计划、讨论合作方式、事物评价、问题分析、解决纠纷等。

这套《商务汉语》系列教材就是系统地训练学习者掌握以上4个层次的基本技能。完成全部教材的学习，学习者可以掌握汉语的语音、基本语法、200多个常用的口语句型、1200个左右的词汇、500多个汉字。学习者根据自己的需要确定整体学习目标或阶段目标，选择学习到哪一层次。

汉字对于外国人来说是学习的一大难点，本教材中的汉字只作为辅助的教学内容，学习者可以自己选择学习汉字与否。

教学内容

以对华商务活动为背景，以交际功能为纲组织语言项目，重在口语会话。具体包括以下几方面内容。

（1）汉语商务交际表达话语：以各种交际功能的汉语单句为主要教学内容，在提高和强化阶段适当引入常用的复句组合。

（2）常用商务和日常基本词汇：与会话教学相结合讲授，并适当加以扩展。

（3）语音：以汉语拼音为载体，针对所给出的词汇，循序渐进讲授和练习汉语的发音。

（4）汉字：通过展示和适当的讲解，让学习者可以认识最常用的汉字，不要求会写；根据具体情况，学习者也可以选择不学习汉字。

（5）课文和生词的英文翻译、语音、语法的英文讲解。

（6）练习：进行语音、词汇和会话训练，以加强理解、熟练掌握。

（7）文化背景知识：系统地穿插中国社会文化、风俗习惯以及商务文化背景知识的介绍。

教学方法

（1）本教材采用印刷文本和多媒体材料相结合的方式，学习者和教师可以充分地利用多媒体材料进行学习和教学。

　　（2）每个教学单元以交际功能为单位组织练习,在典型和常用交际场景中学习和练习完成交际技能的语言知识和技能。

　　（3）利用本教材既可以进行多人集中授课的课堂教学,也可以用于个别辅导教学,还可用于自学。

教材构成

　　商务汉语教材共有三册:

　　（1）《商务汉语入门》（基本礼节篇）针对初学者,训练必要的商务与日常礼节性交际语言技能;

　　（2）《商务汉语入门》（日常交际篇）针对初学者,训练实用基本生活交际语言技能;

　　（3）《商务汉语提高》（应酬篇、办公篇、业务篇）针对已经掌握一点简单汉语的学习者,训练基本商务信息交流语言交际技能。

　　上述三部分既是水平由低到高的系列,同时也体现对商务汉语交际功能的不同需求类型,具有相对的独立性。学习者根据自己的情况,可以成系列地学习,也可以选择其中的一本或两本学习。其中的《商务汉语提高》不是其前部分的低难度的提高和教学内容的扩大,而注重对已有汉语知识和能力的巩固、熟练和融会贯通。一方面,前面所学的语言项目会在后面的教材中重现,强化记忆,提高熟练程度;另一方面,语言项目复现的场景、功能会有所扩展,语境和句法组合方式也更加丰富,这可以使读者对已有语言知识扩展、加深,能更广泛、更准确地使用。

　　本教材配有多媒体资料,三册各配有一张多媒体光盘。

关于作者

　　《商务汉语》系列教材由中国北京语言大学经贸汉语系具有丰富商务汉语教学经验的教师编写,具体人员如下:

　　主编:张黎

　　中文作者:沈庶英:《商务汉语入门》（基本礼节篇）

　　　　　　聂学慧:《商务汉语入门》（日常交际篇）

　　　　　　陶晓红:《商务汉语提高》（应酬篇、办公篇、业务篇）

　　英文翻译:熊文华

　　英文审校:Paul Denman（英国）

　　作者电子邮箱:jmx02@blcu.edu.cn

A Description of Business Chinese Readers

Compilers' Aims

Recent developments in China help accelerate her links with foreign countries, especially with the developed countries, by increasing exchange of visits and business. As a happy result a good number of foreigners take great interest in learning Chinese. It is reported that Chinese is taught to 30 million students in more than 100 countries in the world; that over 3.3 million students are taking Chinese courses at various levels in over 12,400 institutions and schools. In the year of 2003 alone the number of foreign participants in HSK (Chinese Proficiency Test) reached to 300,000, the greatest number registered ever before. A large number of the learners are believed to be those people who wish to do business with China or work for the companies which have close contact with their Chinese counterparts. China's speedy economic progress has opened up a new vista of commercial opportunities that no foreign companies can afford to lose. Modern China has been regarded as a "World Factory" where over one hundred thousand foreign enterprises have settled down, and hundreds of thousand foreign entrepreneurs, businessmen and managers are living and working. They are very much eager to learn Chinese as their tool of daily communication with the native people, and have commercial contact with local dealers. Programmed and supported by China National Office for Teaching Chinese as a Foreign Language (NOCFL), we, the members of the Compiling Group, have prepared *Business Chinese Readers*.

For Whom the Course is Intended

Among the industrialists and businessmen who wish to learn Chinese there is nearly no one who is able to take a systematic course at an institution. The great majority of them would like to take a part-time short course, self-taught or person-to-person lessons instead, because they do not want to take Chinese as their major, nor do they wish to become a fluent speaker of Chinese. All they wish to do is to acquire necessary Chinese knowledge and skills that may be needed in their communication with Chinese people without too much difficulty, and thus to enhance their success in business. The present course is prepared for those industrialists and businessmen who have never learned or have just begun learning basic Chinese that is not their mother tongue.

Skills to be Taught

Any economic and commercial transaction between China and a foreign country may be viewed as cross-cultural activities in nature. The removal of language barriers and difficulties that lie in the understanding of the culture, subtle points and principles expressed by a target language will be greatly beneficial for one's commercial success. It is advisable, therefore, for foreigners to acquire the following abilities through learning a textbook of business Chinese:

(1) Basic Chinese knowledge and skills that is applicable to one's commercial activities;

(2) Communicative ability appropriate to Chinese environment — be able to understand the essentials of Chinese economic circumstances and rules for business performance, including trade, investment, cooperation and management of enterprises;

(3) Competence for cross-cultural communication in the context of economic and cooperative interchange — a wide range of knowledge of business custom and rules in addition to the background information of Chinese culture.

Therefore it seems appropriate to design the teaching of business Chinese in three-in-one training pattern that combines the language as a carrier with commercial activities and cross-cultural knowledge. Such skills to be used in language communication may be provided at four levels in an ascending order:

(1) Ability to use appropriate expressions on polite social occasion of reception, greeting, introduction, apology and congratulation.

(2) Ability to use appropriate expressions for shopping, traveling, bus riding, telephoning and appointment making.

(3) Ability to use appropriate expressions for commercial activities such as giving a brief account of a company or product, getting or giving a quotation, comment or statement.

(4) Ability to use appropriate expressions in consulting, negotiating, bargaining, writing or revising a plan, discussing a way to cooperate, making a comment on a subject in addition to analyzing and sorting out problems.

The present *Business Chinese Readers* aim at helping learners to acquire the 4-level ability described above. By completing this course they will have learned Chinese phonetics, basic Chinese grammar, over 200 commonly used sentence patterns, about 1200 words and 500 Chinese characters. Learners may make an overall plan of their own, or decide what stage of the three that they are going to reach.

Chinese characters may be difficult for some learners, but they only function as a supplementary tool in learning this course. Learners will decide for themselves to learn them or not.

Contents Applicable to Teaching

In each text of the book the language items are organized in a conversation on the basis of communicative function against a commercial Chinese background. Precisely they are —

(1) Commercial Chinese expressions: Simple sentences are grouped together according to their correlative function. Useful compound sentences would not be introduced until they

reach the advance and intensive stage.

(2) A commonly-used basic commercial vocabulary: It is provided alongside with each classroom conversation and its expansion.

(3) Pronunciation: *Pinyin* is taught as an instrument for phonetics in the process of learning Chinese words and expressions.

(4) Chinese characters: By following well-illustrated explanations learners will be able to recognize commonly-used Chinese characters. They may have a choice in learning or not learning to write them.

(5) English explanation is given to each text, new words, grammar items and phonetics.

(6) Exercises: Phonetic, lexical and conversational exercises are designed for learners to fully comprehend and familiarize themselves with the texts.

(7) Cultural background knowledge: Inserted in between are the brief accounts of Chinese society, culture, customs and commercial background knowledge.

Teaching Methodology

(1) This course provides printed textbooks accompanied by multimedia discs. Teachers and learners may avail themselves of both to get the best expected.

(2) Practice and drills are arranged for each unit classified by various communicative function. In typical and common situations learners are given necessary knowledge and skills for communication.

(3) Learners may go to a class for group tuition or take private lessons under a tutor, or even learn self-taught lessons provided by the course book.

The Organization of the Constituent Volumes

Business Chinese Readers consist of three volumes:

(1) *Gateway to Business Chinese* (Regular Formulas And Etiquette) is designed for beginners learning necessary Chinese expressions for daily commercial communication and skills for polite social intercourse.

(2) *Gateway to Business Chinese* (Daily Communication) is prepared for beginners who acquire language skills in day-to-day social dealings.

(3) *Advanced Business Chinese* (Social Gatherings, Office Work, Day-To-Day Operations) is devised for the training of intermediate learners in language skills for business information exchange.

The ascending three-stage arrangement of the textbooks will meet different needs and each one may stand by itself. Learners have a free choice in taking the course as a whole or just follow one or two parts of it. The third volume does not simply serve as an advanced textbook in terms of difficulty or expansion. What's important is that they focus on the consolidation, proficiency and mastery of the Chinese knowledge acquired through a comprehensive study of the subject. The repetition of the language items is beneficial for learners to memorize and employ them well, and the reoccurrence of the dialogue situations will be good for the repeated use of the expressions and the introduction of new contextual and syntactic formation. By so doing learners will be able to understand and apply what they have learned in a better, wider and more precise manner.

Each of the volumes is accompanied with a CD for multimedia use.

Co-Authors

Business Chinese Readers have been prepared by a group of teachers experienced in business Chinese teaching. They are —

Chief Editor: Zhang Li

Chinese Co-Authors: Shen Shuying, writer of *Gateway to Business Chinese*
(Regular Formulas And Etiquette) ;
Nie Xuehui, writer of *Gateway to Business Chinese*
(Daily Communication);
Tao Xiaohong, writer of *Advanced Business Chinese*
(Social Gatherings, Office Work, Day-To-Day Operations)

English Co-Author: Xiong Wenhua

English Reviser: Paul Denman (Britain)

Our E-Mail Address: jmx02@blcu.edu.cn

目 录
Contents

2

Dì-yī kè   Wèi
第 1 课   喂
Lesson 1   Hello

导 学 Guiding Remarks

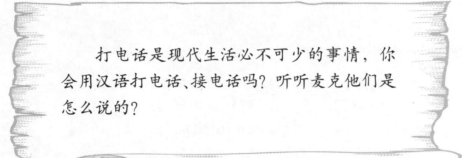

　　打电话是现代生活必不可少的事情，你会用汉语打电话、接电话吗？听听麦克他们是怎么说的？

　　Dealing phone calls is an indispensable part of modern life. Have you learned how to make and take phone calls in Chinese yet? Now let's listen to Mike and his colleagues.

课文 〔Text〕

A

某宾馆一房间，刘经理正在焦急地拨电话，可是对方的电话总是占线。

Manager Liu is anxiously making a phone call in a hotel room, but the line is always busy.

Duìfāng：Wèi?
对方：喂？
Speaker A at the other end：Hello!

Liú jīnglǐ：Wèi! Nǐ hǎo! Shì BM gōngsī ma?
刘 经理：喂！你 好！是 BM 公司 吗？
Liu：Hello, Is that the BM Company?

Duìfāng：Dǎcuò le.
对方：打错 了。
Speaker A：No, you've dialed the wrong number.

Liú jīnglǐ：Shénme? Dǎcuò le? Ō, duìbuqǐ.
刘 经理：什么？ 打错 了？噢，对不起。
（挂断电话，重新拨）
Liu：What? A wrong number? Oh, I am sorry. (Ends call and redials.)

Xiǎ Bái：BM gōngsī, nín hǎo!
小 白：BM 公司， 您 好！
Xiao Bai：Hello, BM Company!

Liú jīnglǐ：Nǐ hǎo! Wáng jīnglǐ zài ma?
刘 经理：你 好！ 王 经理 在 吗？
Liu：Hello! May I speak to Manager Wang?

Xiǎo Bái：Tā bú zài. Nín nǎlǐ?
小 白：他 不 在。您 哪里？
Xiao Bai：He is not here at the moment. Who's calling?

2

Liú jīnglǐ： Wǒ shì Guǎngdōng de Liú Lì.

刘 经理：我 是 广东 的刘力。

　　　　　Liu： It is liu Li calling from Guangdong.

Xiǎo Bái： Ō, Liú jīnglǐ.

小 白：噢，刘 经理。

Xiao Bai： Oh, It's you, Mr. Liu.

Liú jīnglǐ： Wǒ yǒu jí shì.

刘 经理：我 有 急 事。

　　　　　Liu： I've got something urgent to tell him.

Xiǎo Bái： Nín kěyǐ dǎ tā shǒujī.

小 白：您 可以 打他 手机。

Xiao Bai： You may as well use his mobile phone number.

Liú jīnglǐ： Hāomǎ shì duōshao?

刘 经理：号码 是 多少？

　　　　　Liu： What's the number, please?

Xiǎo Bái： Yāosānjiǔyāo-língbāsì-qīliù'èrwǔ.

小 白：1 3 9 1 - 0 8 4 - 7 6 2 5。

Xiao Bai： 1391-084-7625.

LiúLì： Yāosānjiǔyāo-língbāsì-qīliù'èrwǔ, duì ma?

刘 力：1 3 9 1 - 0 8 4 - 7 6 2 5，对 吗？

　　　　　Liu： It's 1391-084-7625, am I right?

Xiǎo Bái： Duì.

小 白：对。

Xiao Bai： Yes, you are.

Liú jīnglǐ： Xièxie.

刘 经理：谢谢。

　　　　　Liu： Thank you.

（继续打电话）

(Liu Goes on with his phone calling.)

3

B

小王在办公室给刘经理打电话。
In his office Xiao Wang is talking to Manager Liu over the phone.

Wáng Guāng：Wèi, Zhōngfā Bīnguǎn ma?
王 光：喂， 中发 宾馆 吗？
Wang Guang：Hello! Is it Zhongfa Hotel?

Jiēxiànyuán：Duì.
接线员：对。
Operator：Yes, it is.

Wáng Guāng：Qǐng zhuǎn sānlíngliù fángjiān. Wèi, shì Liú jīnglǐ ma?
王 光：请 转 306 房间。 喂，是 刘 经理 吗？
Wang Guang：Connect me to Room 306, please. (Getting through) Hello, Is it Mr.Liu?

Liú jīnglǐ：Shì wǒ, nǎ wèi?
刘 经理：是 我，哪 位？
Liu：Yes. Who's calling?

Wáng Guāng：Wǒ shì Wáng Guāng, Liú jīnglǐ, nǐ hǎo.
王 光：我 是 王 光， 刘 经理，你 好。
Wang Guang：It's me, Wang Guang. Hello, Mr. Liu.

Liú jīnglǐ：Ō, Wáng jīnglǐ, nǐ hǎo, nǐ hǎo.
刘 经理：噢，王 经理，你 好，你 好。
　　　　　Wǒ yìzhí gěi nǐ dǎ diànhuà, zhǎobudào nǐ.
　　　　　我 一直 给 你 打 电话， 找不到 你。
Liu：Oh, it's you. Hello, Mr. Wang. I've been trying constantly to get through, but I couldn't get into touch with you.

Wáng Guāng：Wǒ zhīdào, wǒ zài fēijī shàng, shǒujī méi kāi.
王 光：我 知道， 我 在 飞机 上， 手机 没 开。
Wang Guang：I knew that. I was flying between two cities with my mobile phone switched off.

Liú jīnglǐ：Nǐ shénme shíhou yǒu kòng, zánmen jiàn ge miàn?
刘 经理：你 什么 时候 有 空， 咱们 见 个 面？
Liu：When will you be free for the two of us to meet up?

Wáng Guāng：Míngtiān shàngwǔ ba，shídiǎn，kěyǐ ma?
王 光：明天　　上午　吧，十点，可以吗？
Wang Guang：What about 10 o'clock tomorrow morning?

Liú jīnglǐ：Kěyǐ. Zài nǎr?
刘 经理：可以。在 哪儿？
Liu：That's fine, but where?

Wáng Guāng：Guìyǒu Bīnguǎn kāfēi tīng.
王 光：贵友　　宾馆　咖啡 厅。
Wang Guang：At the coffee bar in Guiyou Hotel.

Liú jīnglǐ：Hǎo de，nà míngtiān jiàn.
刘 经理：好 的，那 明天　　见。
Liu：O.K. See you tomorrow.

Wáng Guāng：Míngtiān jiàn.
王 光：明天　　见。
Wang Guang：See you then.

词 语　Word List

1. 喂	wèi	（叹）	hello	*(int.)*
2. 打	dǎ	（动）	to dial	*(v.)*
3. 错	cuò	（形）	wrong	*(adj.)*
4. 急	jí	（形）	anxious	*(adj.)*
5. 手机	shǒujī	（名）	mobile phone	*(n.)*
6. 号码	hàomǎ	（名）	number	*(n.)*
7. 多少	duōshao	（代）	what (number)	*(pron.)*
8. 中发宾馆	Zhōngfā Bīnguǎn	（专名）	Zhongfa Hotel	*(pn.)*
9. 转	zhuǎn	（动）	to connect (a call)	*(v.)*
10. 房间	fángjiān	（名）	room	*(n.)*
11. 电话	diànhuà	（名）	telephone	*(n.)*
12. 找	zhǎo	（动）	to look for	*(v.)*
13. 知道	zhīdào	（动）	to know	*(v.)*
14. 飞机	fēijī	（名）	aeroplane	*(n.)*
15. 没	méi	（副）	not	*(adv.)*
16. 开	kāi	（动）	to open	*(v.)*
17. 空	kòng	（名）	freedom, availability	*(n.)*
18. 咱们	zánmen	（名）	we (including the first,second and third parties)	*(n.)*
19. 上午	shàngwǔ	（名）	morning (between 8:00 and 12:00)	*(n.)*
20. 点	diǎn	（名）	o'clock	*(n.)*
21. 贵友宾馆	Guìyǒu Bīnguǎn	（专名）	Guiyou Hotel	*(pn.)*
22. 厅	tīng	（名）	hall	*(n.)*

语言点链接　　*Language Points*

1.“打错”
“Dǎcuò”

“打错”的意思是打电话时拨了错误的电话号码。汉语的“动词+动词/形容词”这种结构表示某种动作或变化所产生的结果,位于第一个动词后边对它进行补充说明的部分叫补语。汉语的补语有几种,本课出现的“打错”当中的“错”是结果补语。结果补语由动词或形容词充任。如果要说明动作或变化产生的结果时,就应该用结果补语,否则,语义不明。再如:听懂(第4课)、擦干净(第10课)、吃饱、写完、坐端正、站直、找到等。

“Dǎcuò” means “to dial a wrong number”. The Chinese structure of “verb + verb/adjective” indicates the result of an action or a change. What follows the first verb for its modification is known as a “complement”. Of different Chinese complements “cuò” in “dǎ cuò”functions as a resultative complement performed by a verb or an adjective. A resultative complement is needed for the explanation of the outcome of an action or a change. The meaning is unclear without such a complement. More examples are “tīngdǒng” (in Lesson 4), “cā gānjìng” (in Lesson 10), “chībǎo”, “xiěwán”, “zuò duānzhèng”, “zhànzhí” and “zhǎodào” etc..

2.“找不到”
“Zhǎobudào”

“找不到”的意思是“找”这个动作未能达到目的。汉语的“动词+不+动词/形容词”这种结构中的“不”以及其后边的成分是可能补语,表示某种动作行为不能实现或不能达到目的。上边的“找不到”中的“不到”就是可能补语。再如:“听不懂、擦不干净、听不清楚”中的“不懂、不干净、不清楚”也是可能补语。与此相对,“动词+得+动词/形容词”这种结构也是可能补语,但是意思是表示动作行为的目的能够实现。例如:“找+得+到”表示可能,是肯定形式。“找不到”表示不可能,是否定形式。再如:可能补语肯定形式:吃得饱、写得完、坐得端正、站得直。可能补语否定形式:吃不饱、写不完、坐不端正、站不直。

“Zhǎobudào” means “fail to find something”. “bù” and its following components in the Chinese structure of “verb + bù + verb/adjective” are the potential complement, expressing the failure of an action. “bú dào” in “zhǎobudào” serves as a potential complement. Similarly the following parts of the verbs in the phrases“tīngbudǒng”,“cā bu gānjìng” and “tīng bu qīngchu” are also potential complements. Another type of an affirmative potential complement can be formed by “verb + de + verb/adjective” as in “zhǎodedào” in contrast to “zhǎobudào”. More examples of such affirmative potential complements are “chīdebǎo”, “xiědewán”,“zuò de duānzhèng” and “zhàndezhí”, and their negative forms are “chībubǎo”, “xiěbuwán”,“zuò bu duānzhèng” and “zhànbuzhí”.

商务汉语入门

一、跟读并辨别下面音节。

Read the following syllables after the tape and distinguish one from another.

nǎli—nǎli

jíshí—yìsi

shǒujī—shōují

fángjiān—fàng jiàn

nǎ wèi—něi wèi

zhǎobudāo—zhǎobuzháo

zhīdào—chídào

二、听录音并熟读下面的句子。

Listen to the recording and read the following sentences until you are fluent.

1. Shì BM gōngsī ma?
   是 BM 公司 吗?

2. Dǎcuò le.
   打错 了。

3. Wǎng jīnglǐ zài ma?
   王 经理 在 吗?

4. Tā bú zài, nín nǎlǐ?
   他 不 在, 您 哪里?

5. Nín dǎ tā shǒujī ba.
   您 打他 手机 吧。

6. Wèi, Zhōngfā Bīnguǎn ma?
   喂, 中发 宾馆 吗?

7. Shì Liú jīnglǐ ma?
   是 刘 经理 吗?

8. Shì wǒ nǎ wèi?
   是 我,哪 位?

9. Wǒ yìzhí gěi nǐ dǎ diànhuà.
   我 一直 给 你 打 电话。

10. Shǒujī méi kāi.
    手机 没 开。

8

三、请让我们一起再学习几个常用的词语，然后做练习。

Let's learn some more commonly used words before we do the exercises.

补充词语 Supplementary Words

长城	Chángchéng	（专名）	the Great Wall	*(pn.)*
饭店	fàndiàn	（名）	hotel	*(n.)*
出去	chūqù	（动）	to go out	*(v.)*
跟	gēn	（介）	with	*(prep.)*
联系	liánxì	（动）	to contact	*(v.)*
占线	zhàn xiàn		engaged (of a tele-phone line)	
打不通	dǎbutōng		unable to get through	

选择填空 Fill in the Blanks with Appropriate Words

dǎcuò le （打错了）	chūqù （出去）
nǎ wèi （哪位）	nín （您）
nǎlǐ （哪里）	gēn （跟）
liánxì （联系）	dǎ tā shǒujī （打他手机）
zài （在）	dǎbutōng （打不通）
zhàn xiàn （占线）	JOHN

1. A：Wèi, shì Chángchéng Fàndiàn ma?

   A：喂，是 长城 饭店 吗?

   B：Bú shì,

   B：不 是，_____!

2. A：Lǐ xiǎojiě zài ma?

   A：李 小姐 在 吗?

   B：Bú zài,   le.

   B：不 在，_____ 了。

3. A：Nǐ hǎo! Wǒ shì Lǐ Lín

   A：你 好! 我 是李 琳，_____?

   B：Lǐ Lín, nǐ hǎo. Wǒ shì

   B：李 琳，你 好。我 是_____。

4. A：Wèi, nǐ hǎo! Wǒ shì Màikè,
   A：喂，你好！我是麦克，_____?
   B：Nǐ hǎo! Màizǒng, wǒ shì Liú Lì!
   B：你好！麦总，我是刘力！

5. A：Wǒ zěnme gēn tā liánxì?
   A：我怎么跟他联系？
   B：Nǐ kěyǐ
   B：你可以_____。

6. A：Wèi, shì Wáng jīnglǐ ma?
   A：喂，是王经理吗？
   B：Bú shì.
   B：不是。
   A：Qǐngwèn, tā zài ma?
   A：请问，他在吗？
   B：   qǐng děng yíxià.
   B：_____, 请等一下。

7. A：Wèi, Chángchéng Fàndiàn ma? Qǐng zhuǎn
   A：喂，长城饭店吗？请转
   wǔlíngbā fángjiān.
   五零八房间。
   B：   qǐng guò yíhuìr zài dǎ.
   B：_____, 请过一会儿再打。

8. A：Nǐ zěnme méi gěi wǒ dǎ diànhuà?
   A：你怎么没给我打电话？
   B：Wǒ dǎle yí shàngwǔ,
   B：我打了一上午，_____。

四、完成下列对话。

Complete the following dialogues.

1. A：Wèi, shì Wáng jīnglǐ ma?
   A：喂，是王经理吗？
   B：_____, _____?

2. A：Màikè xiānsheng zài ma?

   A：麦克　　先生　　在　吗？

   B：　　　　　　　　　tā chūqù le.

   B：_____，他　出去　了。

3. A：Wèi, shì Zhōngfā gōngsī ma?

   A：喂，是　中发　　公司　吗？

   B：_____。

   A：Duìbuqǐ.

   A：对不起。

4. A：Wèi, wǒ shì Lǐ Lín

   A：喂，我　是　李琳，_____？

   B：Nǐ hǎo, Lǐ Lín, wǒ shì

   B：你好，李琳，我　是_____。

5. A：Liú jīnglǐ zài ma?

   A：刘　经理　在　吗？

   B：Bú zài.

   B：不　在。

   A：Wǒ yǒu jí shì zhǎo tā.

   A：我　有　急事　找　他。

   B：　　　　　　ba.

   B：_____吧。

6. A：Nǐ hǎo, Běijīng Fàndiàn.

   A：你　好，北京　　饭店。

   B：Nǐ hǎo, qǐng zhuǎn jiǔlíngbā fángjiān.

   B：你　好，请　转　908　　房间。

   A：Duìbuqǐ,

   A：对不起，_____。

7. A：Wèi,　　　　　　ma?

   A：喂，_____吗？

   B：Wǒ jiù shì,

   B：我　就是，_____？

   A：Wǒ shì Xiǎo Bái.

   A：我　是　小　白。

8．A：Wèi

　　A：喂＿＿＿＿＿＿＿＿？

　　B：Tā bú zài, chūqù le.

　　B：他 不 在，出去 了。

　　A：Tā shénme shíhòu huílái?

　　A：他 什么 时候 回来？

　　B：＿＿＿＿＿＿＿＿＿。

五、请根据课文内容回答下列问题。

　　Answer the following questions by using the information given in the text.

　　1．Liú jīnglǐ gěi shuí dǎ diànhuà? Tā shuō shénme?
　　　刘 经理 给 谁 打 电话？ 他 说 什么？

　　2．Xiǎo Bái ràng Liú jīnglǐ zuò shénme?
　　　小 白 让 刘 经理 做 什么？

　　3．Liú jīnglǐ wèishénme zhǎobudào Wáng Guāng?
　　　刘 经理 为什么 找不到 王 光？

　　4．Wáng Guāng zhǎo Liú jīnglǐ, tā zěnme shuō de?
　　　王 光 找 刘 经理，他 怎么 说 的？

六、下面的情景你知道该怎么说吗？请试一试。

　　Try to express yourself in the following situations.

　　1．你想知道接电话的人是不是王经理。
　　　You want to know if the person answering the phone call is Manager Wang.

　　2．你要找李小姐，接电话的人告诉你她不在。
　　　You want to speak to Miss Li, but you are told that is not there at the moment.

　　3．你给长城饭店打电话，想让接线员接通 508 房间。
　　　You ask the operator to connect you to Room 508 in the Great Wall Hotel.

　　4．你拨错了电话号码，向对方表示道歉。
　　　You apologise for having dialed a wrong number.

5. 朋友问你为什么不接电话，你解释原因。

You explain to your friend why you didn't answer the phone call.

七、汉字点击。

Open the CD to view the characters.

　　请通过光盘点击认读、书写下面的汉字。请注意汉字书写时的
笔顺。

　　Open the CD to view and write the characters with special attention to their stroke-order.

喂　打　错　急　机　号　码　多　少　宾　馆　转　房　间
话　找　知　道　飞　开　有　空　咱　午　点　贵　厅

文化点击　Cultural Points

关于打电话　Making Phone Calls

　　在中国，接到电话的人一般不主动介绍自己是谁。但现在一些较正规的公司或者单位在接电话时先报出本单位的名称。接电话的人如果想知道对方的名字和身份，要用"您是哪位"或"您哪里"来礼貌地询问，一般不能用"你是谁"这样的表达方式。

　　In China telephones are generally answered without giving a person's name, but business telephones may be answered with the name of a firm or unit. If the caller wishes to know the person he/she is speaking to, polite expressions such as "nín shì nǎ wèi" or "nín nǎlǐ" may be used instead of "nǐ shì shuí".

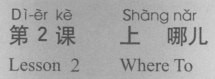

Dì-èr kè   Shàng nǎr
第2课   上 哪儿
Lesson 2   Where To

导学 Guiding Remarks

在城市，打车是常事，如果你会用汉语叫车，那就太方便了。看看麦克是怎么说的？

In cities people often go about by taxi. It's so easy if you know how to call a taxi in Chinese. Let's see how Mike does.

课文 Text

A

麦克站在马路边，招手打车，一下子过来三辆出租车，第一辆是 1.6 元/公里的，第二辆是 2 元/公里，麦克上了第一辆，告诉司机他要去的地方。

Mike beckons a passing taxi on the roadside. Two taxis come with varied prices of 1.6 and 2 yuan per km. Mike takes the first one and tells the driver his destination.

Màikè：Shīfu, qù Xiūshuǐ Jiē.
麦克：师傅，去 秀水 街。
Mike：Driver, Xiushui Street, please.

Sījī：Shàng nǎr?
司机：上 哪儿？
Driver：Pardon?

Màikè：Xiūshuǐ Jiē.
麦克：秀水 街。
Mike：I said Xiushui Street.

Sījī：Shénme? Xǐshǒujiān?
司机：什么？ 洗手间？
Driver：Sorry. Did you say water closet?

Màikè：(Pointing to a card) Qù zhèli.
麦克： 去 这里。
Mike：Look, I want to get here!

Sījī：Ō, Xiūshuǐ Jiē a!
司机：噢，秀水 街 啊！
Driver：Oh, Xiushui Street!

（司机打开计价器，传来音乐声：您好，欢迎您乘坐北京出租车……）
(The driver switches the metre on. Accompanied with the music is the greeting: Hi, your Beijing taxi welcomes you aboard……)

15

（过了一会儿）(A moment later)

Màikè：Dàole， jiù zhèr.

麦克：到了， 就 这儿。

  Mike：Here I am. That's it.

Sījī：Yào fāpiào ma?

司机：要 发票 吗?

  Driver：Do you want the receipt?

Màikè：Yào.

麦克：要。

  Mike：Yes, please.

B

今天，麦克和小王要去贵友宾馆见刘经理。早晨，麦克的司机到麦克住处接他。

麦克坐进车内。

Today Mike and Xiao Wang are going to call on Manager Liu at the Guiyou Hotel. In the morning the driver comes to take Mike there. He gets into the car.

Sījī：Zǎoshang hǎo, Màizǒng.

司机：早上 好， 麦总。

Driver：Good morning, Maizong.

Màikè：Zǎoshang hǎo.

麦克：早上 好。

  Mike：Good Morning.

Sījī：Qù gōngsī ma?

司机：去 公司 吗?

Driver：Going to the office?

Màikè：Bù, xiān qù jiē Wáng jīnglǐ.

麦克：不， 先 去 接 王 经理。

  Mike：No, I want to meet Manager Wang first.

Sījī：Ránhòu ne?

司机：然后 呢?

Driver：And then?

Màikè：Ránhòu sòng wǒmen qù Guìyǒu Bīnguǎn.
麦克：然后　送　我们　去　贵友　宾馆。
Mike：Then take us to the Guiyou Hotel.

小王家门口。车停下来，小王上车。
In front of Wang's house the car comes to a halt for Xiao Wang to get in.

Wáng Guāng：Màizǒng! Zhāng shīfu zǎo!
王　光：麦总!　　张　师傅　早!
Wang Guang：Good morning, Maizong! Good Morning, Zhang!

车经过一家商场。
Passing a shopping centre.

Wáng Guāng：Zhāng shīfu, tíng yíxià.
王　光：张　师傅，停　一下。
Wang Guang：Will you stop here, driver?

10 分钟后小王提着一个包装漂亮的礼品出来了。
20 分钟后到了宾馆门口，刘经理在等麦克和小王。
Ten minutes later Xiao Wang comes out with a beautifully packed gift box.
Twenty minutes later Manager Liu is waiting for Mike and Xiao Wang at the front gate of the hotel.

Wáng Guāng：Zhāng shīfu, nǐ xiān huí gōngsī ba.
王　光：张　师傅，你　先　回　公司　吧。
Wang Guang：Driver, you can go back to the company.

(转身对司机)(Turning round to the driver)
Sījī：Shénme shíhou lái jiē nǐmen?
司机：什么　　时候　来　接　你们?
Driver：When shall I come back to meet you?

Wáng Guāng：Děng wǒ diànhuà ba.
王　光：等　我　电话　吧。
Wang Guang：I'll call you.

Sījī：Hǎo de.
司机：好　的。
Driver：Fine.

17

商务汉语入门

词 语　　Word List

1.	哪儿	nǎr	（代）	where	(pron.)
2.	师傅	shīfu	（名）	master	(n.)
3.	秀水街	Xiùshuǐ Jiē	（专名）	Xiushui Street	(pn.)
4.	洗手间	xǐshǒujiān	（名）	water closet	(n.)
5.	这里	zhèlǐ	（代）	here	(pron.)
6.	发票	fāpiào	（名）	receipt	(n.)
7.	接	jiē	（动）	to meet	(v.)
8.	然后	ránhòu	（连）	after	(conj.)
9.	张	Zhāng	（专名）	surname	(pn.)
10.	停	tíng	（动）	to stop	(v.)

语言点链接　　Language Points

1.“上”和“去”

"Shàng" and "qù"

“上”和“去”有时意思一样，“上”比较口语化，用法与“去”不完全一样。例如：本课的“上哪儿”“去贵友宾馆”两个句子的结构都是“动词+宾语”，“上”和“去”的意思基本相同。但是“先去接王经理。”这个句子的结构是“去”＋动词＋宾语，“上”没有这样的用法。

"Shàng" and "qù" are sometimes equal in meaning. But as a colloquialism the former has a different usage that the latter does not have. In the two phrases of "shàng nǎr" and "qù Guìyǒu Bīnguǎn" formed by a verb plus an object, "shàng" and "qù" are used in a similar sense. However in "xiān qù jiē Wáng jīnglǐ" the verb "qù" followed by another verb and an object can never be substituted for "shàng".

2.“这里”、“这儿”和“哪里”、“哪儿”

"Zhèlǐ", "zhèr" and "nǎlǐ", "nǎr"

“这里、这儿”指代处所，是近指。远指是“那里、那儿”。“这儿、那儿”更口语化。“哪里、哪儿”是疑问代词，用来询问处所。汉语问人用“谁”，问事物用“什么”，问处所用“哪里、哪儿”，问时间用“什么时候、多会儿（口语）”，问方式、性状用“怎么、怎么样”，问数目用“多少、几”。

"Zhèlǐ" and "zhèr" are used for near reference whereas "nǎlǐ" and "nǎr" function

18

as obviative localities."Zhèr" and "nàr" are often used in spoken Chinese. "nǎlǐ" "nǎr" is an interrogative pronoun of locality. Among the Chinese interrogatives "shuí" refers to a person in question,"shénme" to things under discussion,"nǎlǐ" and "nǎr" are generally good for asking about localities,"shénme shíhou" and "duōhuìr"(a spoken expression) are equal to English "when","zěnme" and "zěnmeyàng" pertain to "how","duōshǎo" and "jǐ" are used asking about numbers.

练　习　　Exercises

一、跟读并辨别下面音节。

Read the following syllables after the tape and distinguish one from another.

xiūshuǐ Jiē–xǐshǒujiān

nǎr–nàr

ránhòu–yǐhòu

tīng–dìng

huì–huí

二、听录音并熟读下面的句子。

Listen to the recording and read the following sentences until you are fluent.

1. Qù Xiūshuǐ Jiē.
　去　秀水　街。

2. Shàng nǎr?
　上　哪儿?

3. Qù zhèlǐ.
　去　这里。

4. Dàole, jiù zhèr.
　到了, 就 这儿。

5. Yào fāpiào ma?
　要　发票　吗?

6. Qù gōngsī ma?
　去　公司　吗?

7. Xiān qù jiē Wáng jīnglǐ.
　先　去　接　王　经理。

8. Sòng wǒmen qù Guìyǒu Bīnguǎn.
　送　我们　去　贵友　宾馆。

9. Shénme shíhou lái jiē nǐmen?
　什么　　时候　来　接　你们?

19

三、请让我们一起再学习几个常用的词语，然后做练习。

Let's learn some more commonly used words before we do the exercises.

补充词语 Supplementary Words

超市	chāoshì	（名）	supermarket	*(n.)*
酒吧	jiǔbā	（名）	bar	*(n.)*
菜市场	càishìchǎng	（名）	food market	*(n.)*
怎么	zěnme	（代）	how	*(pron.)*
打车	dǎ chē		to take a taxi	
坐车	zuò chē		to take a bus/car	

选择填空 Fill in the Blanks with Appropriate Words

chāoshì（超市）	jiǔbā（酒吧）
zěnme（怎么）	dǎ chē（打车）
zuò chē（坐车）	càishìchǎng（菜市场）
tíng（停）	zhèr（这儿）
yào（要）	fāpiào（发票）

1. A：Nǐ shàng nǎr?

   A：你 上 哪儿？

   B：Wǒ

   B：我 _____。

   A：Nǐ zěnme qù?

   A：你 怎么 去？

   B：Wǒ

   B：我 _____。

2. A：Nǐ qù nǎr?

   A：你 去哪儿？

   B：Wǒ

   B：我 _____。

   A：Dǎ chē qù ma?

   A：打 车 去 吗？

   B：Bù,   qù.

   B：不, _____去。

3.A：Shīfu, qù

　　A：师傅，去＿＿＿＿＿＿。

　　B：Qǐng shàng chē.

　　B：请　　上　车。

4.A：Dàole, tíng nǎr?

　　A：到了，　停 哪儿?

　　B：Jiù　　　　　　ba.

　　B：就 ＿＿＿＿＿＿＿吧。

　　A：Yào　　　　ma?

　　A：要 ＿＿＿＿＿＿＿吗?

　　B：Yào.

　　B：要。

四、完成下列对话。

Complete the following dialogues.

1.A：Nǐ shàng nǎr?

　　A：你　上　哪儿?

　　B：Wǒ

　　B：我 ＿＿＿＿＿＿＿。

2.A：＿＿＿＿＿＿＿?

　　B：Wǒ qù

　　B：我　去 ＿＿＿＿＿＿＿。

3.A：Zǎoshang hǎo, Wáng jīnglǐ.

　　A：早上　　好，王　经理。

　　B：Zǎoshang hǎo.

　　B：早上　　好。

　　A：Qù　　　　ma?

　　A：去 ＿＿＿＿＿＿＿吗?

　　B：Bù,　　　　Běijīng Fàndiàn.

　　B：不，＿＿＿＿＿＿北京　饭店。

4. A：Nǐ xiān huí gōngsī ba.

A：你 先 回 公司 吧。

B： Nín?

B：＿＿＿＿＿ 您?

A：Děng wǒ diànhuà ba.

A：等 我 电话 吧。

5. A：Zǎoshang hǎo,

A：早上 好, ＿＿＿＿＿?

B：Duì, qù gōngsī.

B：对，去 公司。

A：Zuò chē qù?

A：坐 车 去?

B：Bù,

B：不，＿＿＿＿＿。

五、请根据课文内容回答下列问题。

Answer the following questions by using the information given in the text.

1. Màikè yào qù nǎr?

麦克 要 去 哪儿?

2. Sījī wèn Màikè shénme?

司机 问 麦克 什么?

3. Màikè yào fāpiào ma?

麦克 要 发票 吗?

4. Màikè jīntiān yào qù gōngsī ma?

麦克 今天 要 去 公司 吗?

5. Dào bīnguǎn hòu, Wáng jīnglǐ duì sījī shuō shénme?

到 宾馆 后, 王 经理 对 司机 说 什么?

6. Sījī shénme shíhou lái jiē Màikè hé Wáng Guāng?

司机 什么 时候 来 接 麦克 和 王 光?

六、下面的情景你知道该怎么说吗？请试一试。

Try to express yourself in the following situations.

1. 你要去机场，请你告诉出租车司机。

   Tell the driver that you are going to the airport.

2. 你坐进一辆出租车，司机问你去哪儿，请你用中文告诉他你要去的地方。

   After you get into a taxi, the driver asks you where you are going to. You tell him your destination in Chinese.

3. 你的中国朋友建议你跟他一起去旅游，你用中文问他去什么地方。

   You ask your Chinese friends about the place you are going to visit when invited to join them on their trip.

4. 早晨，你的司机来接你，你用中文告诉他你要去的地方。

   You tell your driver the place you are going to when he comes to collect you in the morning.

七、汉字点击。

Open the CD to view the characters.

请通过光盘点击认读、书写下面的汉字。请注意汉字书写时的笔顺。

Open the CD to view and write the characters with special attention to their stroke-order.

师　傅　秀　水　街　洗　票　然　后　张　停

文化点击 Cultural Points

中国的出租车

中国的出租车按公里收费，并有起价，北京等大城市的起价一般为10元，可以行驶3～4公里。不同车型每公里的收费标准可能不同，价格贴在车窗上。行驶中停车等候要收费，每5分钟算1公里。

Chinese Taxis

Chinese taxis charge the fare for all journeys by distance. In Beijing and other major cities a minimum charge of ten yuan roughly covers 3-4 kilometres. The price level varies according to the specific type of taxi you choose, but it is always shown on the side window of the taxi. The fare to be paid for waiting on route is calculated on the basis of five minutes equalling one kilometre.

Dì-sān kè   Zěnme zǒu

第3课   怎么 走

Lesson 3   How Can I Get There

导学 Guiding Remarks

在不熟悉的地方常常要问路，用汉语怎么说呢？你和麦克一起试试吧。

When in an unfamiliar place one is likely to ask the way. Do you know how to ask the direction in Chinese? If not, go along with Mike and have a try.

课文 Text

A

麦克到一个大商场作市场调查。一层大厅左侧有一个服务台。

Now Mike comes to a large department store. On the first floor to the left of the hall is a service counter.

Màikè：Qǐngwèn, huàzhuāngpǐn zài jǐ céng?
麦克：请问，　　　化妆品　在几层？
Mike：Would you please tell me where the cosmetics counter is?

Gōngzuò rényuán：Sì céng.
工作 人员：四层。
Salesperson：It's on the fourth floor.

麦克乘滚动电梯到四层。
Mike goes up to the fourth floor by elevator.

Màikè：Yǒu BM huàzhuāngpǐn ma?
麦克：有 BM 化妆品　吗？
Mike：Excuse me, but are the BM cosmetics available here?

问一服务员
Asking a salesperson

Fúwùyuán：Yō, zhège páizi bù zhīdào.
服务员：哟，这个 牌子不 知道。

Nǐ dào qiánbiān kànkan ba.
你 到 前边 看看 吧。

Salesperson：Oh, I don't know that brand. Go ahead, and have a look for yourself.

麦克转了一圈没有找到，有点失望。他想看看洗发护发用品。

Mike goes round the counters, but to his disappointment he fails to find anything of that type. He wants to see shampoo and other hair care products.

Màikè： Xǐfā yòngpǐn zài nǎr?
麦克：(问服务员)洗发 用品 在 哪儿?

Mike：(to a salesperson) Can you please tell me where I can find the shampoo?

Fúwùyuán：Dìxià chāoshì.
服务员：地下 超市。

Salesperson：They are available in the basement.

Màikè：Zěnme zǒu?
麦克：怎么 走?

Mike：How can I get there?

Fúwùyuán：Zǒu dào tóu, wǎng zuǒ guǎi, zuò diàntī.
服务员：走 到 头, 往 左 拐, 坐 电梯。

Salesperson：Go to the end, then turn left and go down by elevator.

Màikè：Xièxie.
麦克：谢谢。

Mike：Thank you.

Fúwùyuán：Bú kèqi.
服务员：不 客气。

Salesperson：Not at all.

26

B

刘经理要去BM公司谈业务，找不到地方，他一边看名片一边自言自语……

Manager Liu wants to visit the BM Company to talk business, but cannot find his way. He is checking a card, and talking to himself as he goes...

Liú jīnglǐ：Píng'ān Lù èrshí'èr hào, Jīngběi Dàshà.
刘 经理：平安 路 22 号， 京北 大厦。
Liu：No.22 Ping'an Road, Jingbei Mansion...

……四处张望，看到马路边报亭卖报人，就走过去问路。

Liu is looking round. Upon seeing a roadside news stall he goes over to ask the way.

Màibàorén：Mǎi bàozhǐ ma?
卖报人：买 报纸 吗？
Newsman：A newspaper, sir?

Liú jīnglǐ：Bù. Qǐngwèn, Píng'ān Lù èrshí'èr hào zěnme zǒu?
刘 经理：不。 请问， 平安 路 22 号 怎么 走？
Liu：No, but can you please tell me how to get to No.22, Ping'an Road?

Màibàorén：Bù zhīdào.
卖报人：不 知道。
Man：I don't know.

Liú jīnglǐ：Nín zhīdào Jīngběi Dàshà zài nǎr ma?
刘 经理：您 知道 京北 大厦 在 哪儿 吗？
Liu：Do you know where Jingbei Mansion is?

Màibàorén：Jīngběi Dàshà a, wǎng běi, yìzhí zǒu, yǒu yí gè tiānqiáo,
卖报人：京北 大厦啊， 往 北，一直 走， 有 一个 天桥，
zài wǎng dōng.
再 往 东。
Man：Did you say Jingbei Mansion? It's to the north. Keep going, cross a flyover, and then go east.

Wǎng běi… wǎng dōng?　　Nǎbiān
刘 经理：(似懂非懂，用手比划) 往 北……往 东？(摇头)哪边
shì běi? Nǎbiān shì dōng?　　　Yuǎn ma?
是 北？ 哪边 是 东？(对卖报人)远 吗？

Liu：(Puzzled and pointing) Go north, and turn east? (shaking his head) Which direction? Which is north? Which is east? (to the newsman) Is it far?

Mǎibàorén：Tǐng yuǎn de. Nǐ dǎ chē ba.
卖报人：挺 远 的。你打 车 吧。

Man：Yes, it is. You can take a taxi.

Liú jīnglǐ：Ō, xièxie.
刘 经理：噢，谢谢。

Liu：Oh, yes. Thank you.

Mǎibàorén：Bú kèqi. Mǎi yí fèn bàozhǐ ba?
卖报人：不客气。买一 份 报纸 吧？

Man：Not at all. What about a copy of newspaper?

Liú jīnglǐ：Hǎo ba.
刘 经理：好 吧。(掏钱)

Liu：Yes, please.(Taking out his wallet.)

词 语　　Word List

1. 请问	qǐngwèn	（动）	May I ask	(v.)
2. 化妆品	huàzhuāngpǐn	（名）	cosmetics	(n.)
3. 几	jǐ	（数）	a few, which	(num.)
4. 层	céng	（量）	floor	(mw.)
5. 哟	yō	（叹）	oh	(int.)
6. 牌子	páizi	（名）	brand	(n.)
7. 前边	qiánbiān	（名）	front	(n.)
8. 看	kàn	（动）	to look at; to see	(v.)
9. 洗	xǐ	（动）	to wash	(v.)
10. 发	fà	（名）	hair	(n.)
11. 用品	yòngpǐn	（名）	articles for use	(n.)
12. 地下	dìxià	（名）	basement	(n.)
13. 超市	chāoshì	（名）	supermarket	(n.)
14. 头	tóu	（名）	end	(n.)
15. 往	wǎng	（介）	to go to	(prep.)
16. 左	zuǒ	（名）	left	(n.)
17. 拐	guǎi	（动）	to turn	(v.)
18. 电梯	diàntī	（名）	elevator	(n.)
19. 平安路	Píng'ān Lù	（专名）	Ping'an Road	(pn.)
20. 京北大厦	Jīngběi Dàshà	（专名）	Jingbei Mansion	(pn.)
21. 报纸	bàozhǐ	（名）	newspaper	(n.)
22. 北	běi	（名）	north	(n.)
23. 天桥	tiānqiáo	（名）	flyover	(n.)
24. 东	dōng	（名）	east	(n.)
25. 远	yuǎn	（形）	far	(adj.)
26. 挺	tǐng	（副）	very	(adv.)
27. 打车	dǎ chē	（动）	to take a taxi	(v.)
28. 份	fèn	（量）	copy	(mw.)

商务汉语入门

1. "在几层 / 在哪儿 / 怎么走 / 哪边是北"

"Zài jǐ céng / zài nǎr / zěnme zǒu / nǎbiān shì běi"

句子里有疑问代词"谁"、"什么"、"哪里"、"哪个"、"怎么"、"怎么样"的问句叫特指问句。如本课的"在几层"(问数量)、"在哪儿"(问处所)、"怎么走"(问方式)、"哪边儿是北"(问方位)。这种问句的词序与陈述句一样,提问哪个成分就把疑问代词放在那个成分的位置上。听话人应该对提问的疑问代词具体回答。再如:"你去哪儿?"→回答"我去公司。""他是谁?"→回答"他是王经理。""你怎么去公司?"→回答"我打车去。""你们公司是哪个楼?"→回答"是那个白色的楼。"

Special interrogative sentences are those sentences begun with interrogative pronouns such as "shuí", "shénme", "nǎlǐ", "nǎge", "zěnme" and "zěnmeyàng" as in such phrases as "zài jǐcéng" (for a number), "zài nǎr" (for location), "zěnme zǒu" (asking how to do something) and "nǎbiānr shì běi" (for direction) used in the text. The word order of such a sentence is identical to that of a declarative sentence. However, the interrogative pronoun is used to replace the word about which a question arises. The answer to such a question is expected to be specific. E.g.. "Nǐ qù nǎr?" → "Wǒ qù gōngsī." "Tā shì shuí?" → "Tā shì Wáng jīnglǐ." "Nǐ zěnme qù gōngsī?" → "Wǒ dǎ chē qù." "Nǐmen gōngsī shì nǎge lóu?" → "Shì nàge báisè de lóu."

2. 汉语的方位词

Words of locality

"左、右、北、东"这些词叫方位词。方位词是表示方向和相对位置关系的词。汉语最基本的方位词是"东、南、西、北、上、下、前、后、左、右、里、外、内、中、间、旁"。这些词最常见的用法是后边加上"边"、"面"、"头"表示方位、处所。例如:东边、前边、上边、里边、旁边("内、中、间"不能和"边、面、头"组合,"旁"不能和"面、头"组合)

"Zuǒ", "yòu", "běi" and "dōng" are words of locality and relative direction. The basic words of locality in Chinese are "dōng" (east), "nán" (south), "xī" (west), "běi" (north), "shàng" (top), "xià" (bottom), "qián" (front), "hòu" (back), "zuǒ" (left), "yòu" (right), "lǐ" (inside), "wài" (outside), "nèi" (within), "zhōng" (centre), "jiān" (between) and "páng" (side). "biān", "miàn" and "tóu" can be used as suffixes to the above locative nouns to make words, such as "dōngbiān", "qiánbiān", "shàngbiān", "lǐbiān" and "pángbiān". However "nèi", "zhōng", "jiān" cannot go with "biān", "miàn" and "tóu"; "miàn" and "tóu" never serve as a suffix to "páng".

3."往"＋方位词

"Wǎng" ＋ a locative noun

本课的句子"往左拐"中的"往"是介词，"往"常常和方位词一起放在动词前边表示动作的方向。再如：往南走、往前边跑、往上看、往外看、往中间坐。

In this text "wǎng" functions as a preposition indicating the direction in which an action takes place. This directional phrase precedes the given verb as in the following:"wǎng nán zǒu", "wǎng qiánbiān pǎo", "wǎng shàng kàn","wǎng wài kàn" and "wǎng zhōngjiān zuò".

练习　　　Exercises

一、跟读并辨别下面音节。

Read the following syllables after the tape and distinguish one from another.

huàzhuāngpǐn–huàxuépǐn

pāizi–pízi

xǐ fà–lǐ fà

diàntī–tiāntī

bàozhǐ–bāozi

二、听录音并熟读下面的句子。

Listen to the recording and read the following sentences until you are fluent.

1. Huàzhuāngpǐn zài jǐ céng?
   化妆品　　　在几　层？

2. Xǐfà yòngpǐn zài nǎr?
   洗发　用品　在哪儿？

3. Zěnme zǒu?
   怎么　走？

4. Zǒu dào tóu, wǎng zuǒ guǎi, zuò diàntī.
   走　到头，　往　左　拐，　坐　电梯。

5. Píng'ān lù èrshí'èr hào zěnme zǒu?
   平安　路　22 号　怎么　走？

31

6. Jīngběi Dàshà zài nǎr?

   京北　　大厦 在 哪儿?

7. Wǎng běi, yìzhí zǒu, yǒu yí ge tiānqiáo, zài wǎng dōng.

   往　北, 一直 走, 有 一个 天桥,　再 往　东。

8. Nǎbiān shì běi? Nǎbiān shì dōng?

   哪边　是 北? 哪边　是 东?

三、请让我们一起再学习几个常用的词语, 然后做练习。

Let's learn some more commonly used words before we do the exercises.

补充词语　Supplementary Words

电器	diànqì	(名)	appliance	(n.)
楼	lóu	(名)	building	(n.)
希尔顿	Xī'ěrdùn	(专名)	Hilton	(pn.)
劳驾	láojià	(动)	excuse me	(v.)
旁边	pángbiān	(名)	side	(n.)
后边	hòubiān	(名)	behind	(n.)
朝	cháo	(介)	face	(prep.)
分钟	fēnzhōng	(名)	minute	(n.)

选择填空　Fill in the Blanks with Appropriate Words

diànqì (电器)	lóu (楼)
Xī'ěrdùn (希尔顿)	pángbiān (旁边)
qiánbiān (前边)	zěnme (怎么)
zǒu (走)	wǎng (往)
nán guǎi (南拐)	cháo (朝)
yòu guǎi (右拐)	wǔ (五)

1. A：Qǐngwèn,　　　　zài jǐ lóu?

   A：请问, _____ 在 几 楼?

   B：　　　lóu.

   B：_____ 楼。

2. A：Xiānsheng, qǐngwèn,   Fàndiàn zài nǎr?

   A：先生，   请问，_____ 饭店 在 哪儿?

   B：Zài nàge qiáo

   B：在 那个 桥 _____。

   A：_____?

   B：   zǒu wǔ fēnzhōng jiù dào le.

   B：_____，走 5 分钟 就 到 了。

   A：Xièxie.

   A：谢谢。

3. A：Láojià, Zhōngfā Gōngsī zài nǎr?

   A：劳驾，   中发   公司 在 哪儿?

   B：Zài nàge lóu

   B：在 那个 楼 _____。

4. A：Qǐngwèn, BM Gōngsī yuǎn ma?

   A：请问，   BM 公司 远 吗?

   B：Bù yuǎn.

   B：不 远。

   A：_____?

   B：   yìzhí zǒu.

   B：_____ 一直 走?

四、完成下列对话。

Complete the following dialogues.

1. A：Qǐngwèn, jīnglǐ bàngōngshì

   A：请问，   经理   办公室 _____?

   B：_____。

   A：Diàntī

   A：电梯 _____?

   B：Zài yòubiān.

   B：在 右边。

2．A：Xiǎojiě, huìyìshì
　　A：小姐，　会议室 _____?
　　B：_____。
　　A：Xièxie.
　　A：谢谢。
　　B：Bú xiè.
　　B：不 谢。

3．A：Xǐshǒujiān zài nǎr?
　　A：洗手间　在 哪儿?
　　B：Yìzhí zǒu, wǎng
　　B：一直 走，　往 _____。

4．A：Qǐngwèn, Zhōngfā Gōngsī zài nàbiān ma?
　　A：请问，　　中发　公司　在 那边 吗?
　　B：Duì.
　　B：对。
　　A：_____?
　　B：　　　　guǎi, zǒu shí fēnzhōng.
　　B：_____拐，走 10　分钟。

五、请根据课文内容回答下列问题。

Answer the following questions by using the information given in the text.

1．Màikè bù zhīdào huàzhuāngpǐn zài nǎr,
　麦克 不　知道　化妆品　在 哪儿，
　tā zěnme wèn fúwùyuán?
　他 怎么　问　服务员?

2．Xǐfà yòngpǐn zài nǎr?
　洗发　用品　在 哪儿?

3．Qù dìxià chāoshì zěnme zǒu?
　去 地下　超市　怎么　走?

4．Qù Jīngběi Dàshà zěnme zǒu?
　去 京北　大厦　怎么 走?

六、下面的情景你知道该怎么说吗？请试一试。

Try to express yourself in the following situations.

1. 在一个很大的集贸市场，你找不到要买的东西，你问旁边的一个商贩。

As you are unable to buy what you want in a big market, you ask a pedlar for help.

2. 在一个五层的电器商城，你问别人电脑零配件的位置。

In a five-storied supermarket you ask someone to show you the stalls for computer parts.

3. 你要去大使馆，在一个十字路口，你弄不清方向，你问一个路人。

You have lost your way at a junction when going to the embassy. You turn to someone for help.

4. 你要去某饭店见朋友，你弄不清方向，你问一个卖报人。

You are going to see a friend in a hotel, but you don't know the way. You ask a newsvendor for information.

七、汉字点击。

Open the CD to view the characters.

请通过光盘点击认读、书写下面的汉字。请注意汉字书写时的笔顺。

Open the CD to view and write the characters with special attention to their stroke-order.

问 化 妆 品 几 层 哟 牌 子 前 边 看 地
超 头 往 左 拐 梯 纸 路 厦 桥 远 挺 份

文化点击 Cultural Points

关于问路

在一个地方工作或生活，问路是每个人都会遇到的事情。中国人指示方位的时候，既可能用"东、西、南、北"来表示，也可能用"前、后、左、右"来表示。一般来说，中国北方人较多使用"东、西、南、北"，而南方人大多使用"前、后、左、右"。

Asking the Way

Everyone who works or lives in a city will, on occasion, need to ask the way. The directions given may be "dōng", "xī", "nán", "běi", or "qián", "hòu", "zuǒ", "yòu". Generally, those from northern China prefer the former to describe direction, whereas southerners tend to use the latter.

35

Dì-sì kè　　　　Zhège zěnme shuō
第 4 课　　这个 怎么 说

Lesson 4　　What's the Chinese for It

导 学　Guiding Remarks

　　麦克来中国不久, 汉语还不太好, 遇到不会说或听不懂的时候怎么办? 学了本课, 遇到类似的情况, 你也可以用本课的说法来解决一下语言障碍。

　　Mike is new to China, and his Chinese is not good enough for daily communication with native speakers. What will he do when he is unable to express himself or cannot understand his colleagues? By using the phrases and expressions given in this lesson, you should find that you are able to overcome certain language obstacles.

A

麦克和小王在公司会客室门口迎接刘经理。

Mike and Xiao Wang are warmly greeting manager Liu at the door to the reception room.

Liú jīnglǐ：Màizǒng nǐ hǎo, Wáng jīnglǐ nǐ hǎo.
刘 经理：麦总　你 好，　王 经理 你 好。(握手)
　　　　Liu：Good morning, Maizong! Good morning, Manager Wang!
　　　　(Shaking hands with one another)

Màikè：Nǐ hǎo!
麦克：你 好!
　　Mike：Good morning!

Liú jīnglǐ：Màizǒng, nǐ de Hànyǔ shuō de bú cuò.
刘 经理：麦总，　你 的 汉语 说 得 不 错。
　　　Liu：Your Chinese is fairly good, Maizong.

Màikè：Nǎli nǎli, wǒ shuō de bù hǎo.
麦克：哪里 哪里，我 说 得 不 好。
　　Mike：Not at all. I don't speak Chinese well.

37

会客室。刘经理用中文介绍自己公司的情况。
Liu gives a brief account of his company to them in Chinese in the reception room.

Liú jīnglǐ：Màizǒng, nín tīngdǒng le ma?
刘 经理：麦总, 您 听懂 了吗?
Liu：Did you follow me, Maizong?

Màikè：Tīngbudǒng, nǐ huì shuō Yīngyǔ ma?
麦克：听不懂,(摇头)你 会 说 英语 吗?
Mike：Not quite (shaking his head). Do you speak English?

Liú jīnglǐ：Shuō de bù hǎo. Wáng jīnglǐ, nǐ gěi fānyì yíxià ba.
刘 经理：说 得不 好。(对小王)王 经理, 你 给 翻译 一下 吧。
Liu：I don't speak it well. (Turning to Wang) Mr. Wang, would you help us?

Wáng Guāng：Hǎo de.
王 光：(笑)好 的。
Wang Guang：(Smiling) With pleasure.

B

麦克在办公室。
In Mike's office.

Màikè： Lǐ Lín, qǐng lái yíxià?
麦克：(打电话)李 琳, 请 来一下。
Mike：(Telephoning) Li Lin, come over, please.

李琳进来。
Li Lin enters.

Lǐ Lín：Màizǒng, shénme shì?
李 琳：麦总, 什么 事?
Li Lin：What can I do for you, Maizong?

Màikè：Zhège, méiyǒu le. Zhège, Hànyǔ zěnme shuō?
麦克：这个, 没有 了。(晃动手里的曲别针)这个, 汉语 怎么 说?
Mike：We've run out of these. (holding a paper clip between his fingers) What's the Chinese for it?

Lǐ Lín：Qūbiézhēn.
李 琳：曲别针。
Li Lin：Qubiezhen.

Màikè：Qù、bié…   wǒ bú huì shuō.
麦克：去、别……too difficult,（摇头）我 不 会 说。

　　　Zhège zěnme shuō?
　　　这个 怎么 说?（指着文件夹）

　Mike：Qu-bie-too difficult!（Shaking his head）I can't say it. And what's this in Chinese?
　　　（Pointing to a document holder）

Lǐ Lín：Wénjiānjiā.
李 琳：文件夹。

　Li Lin：Wenjianjia.

Màikè：　　　Wén-jiàn-jiā. Wǒ yào shí qūbiézhēn, wǔ wénjiānjiā.
麦克：（重复）文 件 夹。我 要 十 曲别针， 五 文件夹。

　Mike：（Repeating）Wenjianjia. Wo-yao-shi-qubiezhen, wu-wenjian-jia.

Lǐ Lín：　　Yīnggāi shuō "shí gè qūbiézhēn, wǔ gè wénjiānjiā".
李 琳：（笑）应该 说 "十个 曲别针， 五个 文件夹。"

　Li Lin：（laughing）It should be "shi-ge-qubiezhen" and "wu-ge-wenjianjia".

Màikè：Ò, shí gè…, wǔ gè… tài nán le.
麦克：哦，十 个……，五 个…… 太 难 了。

　Mike：Oh, shi-ge..., wu-ge..., so difficult.

Lǐ Lín：　Méiguānxi. Nín shāo děng yíxià, wǒ mǎshàng sòng lái.
李 琳：（笑）没关系。 您 稍 等 一下，我 马上 送 来。

　Li Lin：（Smiling）That's O. K.. Just a minute, I'll bring them in.

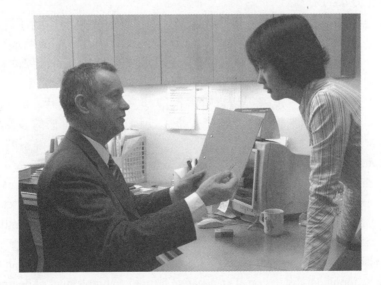

商务汉语入门

词 语　　Word List

1.	说	shuō	（动）	to speak	(v.)
2.	汉语	Hànyǔ	（名）	Chinese	(n.)
3.	得	de	（助）		(aux.)
4.	哪里	nǎli		not at all; where	
5.	听	tīng	（动）	to listen	(v.)
6.	懂	dǒng	（动）	to understand	(v.)
7.	英语	Yīngyǔ	（名）	English	(n.)
8.	翻译	fānyì	（动）	to translate, to interpret	(v.)
9.	有	yǒu	（动）	to have	(v.)
10.	曲别针	qūbiézhēn	（名）	paper clip	(n.)
11.	文件夹	wénjiànjiā	（名）	file, document holder	(n.)
12.	难	nán	（形）	difficult	(adj.)
13.	稍	shāo	（副）	slightly, just	(adv.)
14.	马上	mǎshàng	（副）	immediately	(adv.)

语言点链接　　Language Points

1. "说得不错"

"Shuō de bú cuò"

这个句子的意思是刘经理认为麦克"说"汉语的水平达到了比较好的程度。汉语的"动词＋得＋形容词"这种结构，动词后边补充说明动作所达到的程度的成分叫程度补语。程度补语一般由形容词充任。在动词和程度补语之间要用结构助词"得"。例如"说得不错"中的"不错"就是程度补语，补充说明"说"达到的程度。再如："走得很慢、听得很清楚、卖得很好"中的"慢、清楚、好"也是程度补语。程度补语的否定形式是"动词＋得＋不＋形容词"。前边几个例句的否定形式是："说得不好、走得不慢、听得不清楚、卖得不好"。

Its meaning is: your Chinese is not bad. In the structure of "verb + de + adjective", the adjective that is used to explain the extent of an action is known as a complement of degree. Such complement is often performed by an adjective with the structural particle "de" in between. In "shuō de bú cuò", "bú cuò" serves as a complement of degree. Similarly, "màn", "qīngchu" and "hǎo" in "zǒu de hěn màn", "tīng de hěn qīngchu" and "mǎi de hěn hǎo" are also complements of degree, indicating one's judgement about or comment upon the action under discussion. The negative form of a complement of degree is "verb + de

+ bù + adjective". Therefore the corresponding negative forms of the above complement phrases are "shuō de bù hǎo", "zǒu de bú màn", "tīng de bù qīngchu" and "mǎi de bù hǎo".

2."送来"

"Sònglái"

"送来"的意思是李琳通过"送"这个动作使曲别针从别的地方向麦克所在的地方移动。在汉语里"动词＋来/去"叫简单趋向补语，表示人或事物运动的方向。人或事物向着立足点(说话人)时用"动词＋来"，背离立足点(说话人)时用"动词＋去"。"送来"如图示：来→麦克(立足点)→去。

再如：跑来/跑去、走来/走去、回来/回去、进来/进去、端来/端去。

It means to bring in. The Chinese word group of verb + lái/qù is known as a simple directional complement indicating the direction of a person or thing in movement. "lái" is often used to show something that is moving toward the speaker, whereas "qù" indicates that a person or thing is moving away from the speaker. Hence "sòng lái" may be illustrated as: lái → Mike (his position) → qù.

More phrases containing such a complement are "pǎolái/pǎoqù", "zǒulái/zǒuqù", "huílái/huíqù", "jìnlái/jìnqù" and "duānlái/duānqù".

练 习　　　Exercises

一、跟读并辨别下面音节。

　　Read the following syllables after the tape and distinguish one from another.

　　shuō–zuō　　　　　tīng–dìng　　　　　dǒng–tōng
　　fānyì–fǎnyì　　　　nán–nàn

二、听录音并熟读下面的句子。

　　Listen to the recording and read the following sentences until you are fluent.

　　1. Nǐ de Hànyǔ shuō de bú cuò.
　　　你 的 汉语 说 得 不 错。

　　2. Nǎli nǎli, wǒ shuō de bù hǎo.
　　　哪里 哪里，我 说 得 不 好。

　　3. Màizǒng, tīngdǒng le ma?
　　　麦总， 听懂 了吗？

　　4. Tīngbudǒng.
　　　听不懂。

5. Nǐ huì shuō Yīngyǔ ma?
   你 会 说 英语 吗?

6. Wáng jīnglǐ, nǐ gěi fānyì yíxià.
   王 经理, 你 给 翻译 一下。

7. Zhège, Hànyǔ zěnme shuō?
   这个, 汉语 怎么 说?

8. Wǒ bú huì shuō.
   我 不 会 说。

9. Zhège zěnme shuō?
   这个 怎么 说?

三、请让我们一起再学习几个常用的词语，然后做练习。

Let's learn some more commonly used words before we do the exercises.

补充词语	Supplementary Words			
话	huà	（名）	speech, spoken language	(n.)
中文	Zhōngwén	（名）	Chinese (language)	(n.)
讲	jiǎng	（动）	to speak	(v.)
法语	Fǎyǔ	（名）	French (language)	(n.)
美国	Měiguó	（名）	United States of America	(pn.)
提子	tízi	（名）	a type of fruit	(n.)
葡萄	pútao	（名）	grapes	(n.)
明白	míngbai	（动）	to be clear	(v.)

选择填空	Fill in the Blanks with Appropriate Words

shuō de bú cuò（说得不错）

shuō de bù hǎo（说得不好）

jiǎng（讲）

gěi fānyì yíxià（给翻译一下）

Fǎyǔ（法语）

zěnme（怎么）

shuō（说）

tīngbudǒng（听不懂）

1. A：Nǐ de Zhōngguó huà

   A：你 的 中国 话 _____。

   B：Nǎlǐ nǎlǐ,

   B：哪里 哪里, _____。

2. A：Xiǎojiě, nǐ huì   Yīngyǔ ma?

   A：小姐, 你 会 _____英语 吗?

   B：Huì.

   B：会。

   A：Máfan nǐ

   A：麻烦 你 _____。

3. A：Shīfu, zhège, Zhōngwén

   A：师傅, 这个,   中文 _____?

   B：Tízi. Měiguó tízi.

   B：提子。美国 提子。

   A：Tízi,   jiù shì pútao, yǒu yìsi.

   A：提子, 就是 葡萄, 有 意思。

4. A：Nǐ tīngdǒng le ma?

   A：你 听懂 了 吗?

   B：   tài nán le, bù míngbai.

   B：_____, 太难 了, 不 明白。

5. A：Nǐ huì shuō   ma?

   A：你 会 说 _____吗?

   B：Duìbuqǐ, wǒ

   B：对不起, 我 _____。

四、完成下列对话。

Complete the following dialogues.

1. A：Xiǎo Wáng, nǐ de Yīngyǔ

   A：小 王, 你 的 英语 _____。

   B：Nǎli nǎli

   B：哪里 哪里, _____。

2. A：Tīngdǒng le ma?

   A：听懂　　　了吗?

   B：　　　　　　　　Jīngjù tài nán le.

   B：_____。京剧　太　难　了。

   A：Méiguānxi, wǒ

   A：没关系，　我 _____。

3. A：Shīfu, qù gǔdǒng shìchǎng.

   A：师傅，去　古董　市场。

   B：Yō, nǐ de Zhōngguó huà

   B：哟，你的　中国　　话 _____。

   A：Nǎli nǎli,

   A：哪里 哪里，_____。

   B：Very good.

   A：Shīfu, nǐ

   A：师傅，你 _____?

   B：Huì yì diǎnr.

   B：会　一　点儿。

4. A：Zhège

   A：这个，_____?

   B：Xǐshǒuyè.

   B：洗手液。

   A：Xǐ…shǒu…? Hěn nán, wǒ

   A：洗……手……? 很　难，我 _____。

5. A：Tā jiǎng de tài kuài le.

   A：他 讲　得太　快 了。

   B：Nǐ méi

   B：你 没 _____?

   A：　　　　　　　Bù míngbai.

   A：_____。不　明白。

五、请根据课文内容回答下列问题。

　　Answer the following questions by using the information given in the text.

1. Màikè de Hànyǔ shuō de zěnmeyàng?

   麦克　的 汉语　说　得　怎么样?

2. Màikè tīngdǒng Liú jīnglǐ de huà le ma?
   麦克　听懂　刘 经理 的 话 了吗?

3. Wáng Guāng yào zuò shénme?
   小　　王 要 做 什么?

4. Liú jīnglǐ huì shuō yīngyǔ ma?
   刘 经理 会 说 英语 吗?

5. Màikè bú huì yòng hànyǔ shuō "qūbiézhēn",
   麦克 不 会 用 汉语 说 "曲别针",
   tā zěnme wèn Lǐ Lín?
   他 怎么　问 李 琳?

六、下面的情景你知道该怎么说吗？请试一试。

Try to express yourself in the following situations.

1. 在办公室，你问别人一种文具的中文说法。

   You ask a staff member in the office what the Chinese is for an item of stationery.

2. 在超市，你问服务员一件厨房用品的汉语名称。

   In a supermarket you ask a salesperson the Chinese for a kitchen implement.

3. 有人给你介绍一种可以做化妆品原料的中草药，你听不懂，你请你的同事用英语再说一边。

   You don't understand what herb someone told you about that you could use to make a cosmetic. You ask your colleague to repeat it in English.

4. 参观了一家化妆品工厂，对方请你发表意见，你告诉对方你不能用汉语说，只能用英语说。

   When you visit a cosmetics factory the host invites you to comment on what you have seen there. You tell him that you can only express yourself in English and not Chinese.

5. 对方夸你的汉语讲得好，请你表示一下谦虚。

   Try to show your modest attitude when you are praised for your use of Chinese.

七、汉字点击。

Open the CD to view the characters.

请通过光盘点击认读、书写下面的汉字。请注意汉字书写时的笔顺。

Open the CD to view and write the characters with special attention to their stroke-order.

汉 语 说 听 懂 英 翻 译 曲 针 文 件 夹 难 稍 马

文化点击 Cultural Points

汉语普通话和方言

中国有很多种方言,方言之间的差异、特别是语音差异很大,讲不同方言的人之间有时甚至根本无法听懂对方的话。长期以来,中国形成了一种民族共同语,叫"普通话"。普通话是全国通用的标准语,我们这里学习的就是普通话。在政府机关、新闻媒体、学校以及公共场合等人们更多地使用普通话。

Chinese Common Speech and Regional Dialects

There are many local dialects in China and great differences in pronunciation exist between one and another. Therefore different dialect speakers cannot understand mutually. "Common speech" known as Putonghua is used all over China. What you are learning here is standard Putonghua, used nationwide in government offices, by the mass media, in schools and on public occasions.

Dì-wǔ kè　　Jǐ diǎn le
第 5 课　几 点 了
Lesson 5　　What Time Is It

导 学 Guiding Remarks

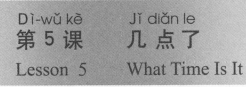

　　每种语言都有时间的表达方法，汉语是怎么表达时间的呢？

　　There are expressions of time in every language. What are they in Chinese?

47

课文 Text

A

办公室 In an office

Wáng Guāng： Yō, gāi chī fàn le.
王 光：(看手表)哟，该 吃 饭 了。
Wang Guang：(Looking at his watch) Oh, it's time for lunch.

Dīng Guāng：Jǐ diǎn le?
丁 光：几 点 了?
Ding Guang：What time is it?

Wáng Guāng： Shí èr diǎn yí kè le.
王 光：(看手表)十二 点 一 刻 了。
Wang Guang：(Looking at his watch) A quarter past twelve.

Dīng Guāng：Tài wǎn le ba?
丁 光：太 晚 了吧?
Ding Guang：Is it too late for lunch?

Wáng Guāng：Bù wǎn, láidejí. Cāntīng shí'èr diǎn bàn xià bān.

王 光：不 晚，来得及。餐厅 十二 点 半 下 班。

Wang Guang：I don't think so. The dining room won't be closed until half past twelve.

Dīng Guāng： Kuài zǒu ba, xiàwǔ wǒ yào qù jīchǎng jiē kèrén.

丁 光：(站起来)快 走 吧，下午 我 要 去 机场 接 客人。

Ding Guang：(Standing up) Hurry up. I'm going to meet a guest at the airport this afternoon.

Wáng Guāng：Kèrén shénme shíhou dào?

王 光：客人 什么 时候 到？

Wang Guang：When will the guest arrive?

Dīng Guāng：Liǎng diǎn sìshíwǔ fēn.

丁 光：两 点 四十五 分。

Ding Guang：At a quarter to three.

Wáng Guāng：Láidejí.

王 光：来得及。

Wang Guang：You can make it.

Dīng Guāng：Kuàidiǎnr ba, láibují le, wǒ bù néng chídào.

丁 光：快点儿 吧，来不及了，我 不 能 迟到。(拉对方)

Ding Guang：Hurry up, or I'll be late. I must be there in time. (Dragging his colleague along.)

B

李琳到王光的办公桌前谈工作。
Li Lin is talking about arrangements for work with Wang Guang by the desk.

Lǐ Lín：Xiǎo Wáng, Màizǒng ràng wǒ tōngzhī nǐ, Shànghǎi yǒu gè

李 琳：小 王， 麦总 让 我 通知 你， 上海 有 个

zhǎnxiāohuì, ràng nǐ zhǔnbèi cān zhǎn de shìqing.

展销会， 让 你 准备 参 展 的 事情。

Li Lin：Maizong wants me to inform you of a commodities fair in Shanghai. Please prepare for it.

Wáng Guāng：Shénme shíhou?

王 光：什么 时候？

Wang Guang：When?

Lǐ Lín： Èrlínglíngwǔ nián yīyuè shíwǔ rì zhì èrshíyī rì.

李 琳：(看计划，念)二零零五　年 一月 十五 日至 二十一 日。

Li Lin：(Reading the program) Between the 15th and 21st of January, 2005.

Wáng Guāng：Shénme shíhou kāishǐ bào míng?

王 光：什么　时候 开始　报 名？

Wang Guang：When will the registration begin?

Lǐ Lín：Yǐjing kāishǐ le, dào shíyīyuè sānshí hào.

李 琳：已经　开始 了，到 十一月　三十　号。

Li Lin：It has already begun. The closing day is the 30th of November.

Wáng Guāng：Jīntiān jǐ hào?

王 光：今天　几 号？

Wang Guang：What's the date today?

Lǐ Lín： Qī hào.

李 琳：(看日历)七 号。

Li Lin：(Looking at the calendar) The seventh.

Wáng Guāng：Shíjiān bù duō le, děi mǎshàng zhǔnbèi.

王 光：时间　不 多 了，得 马上　准备。

Wang Guang：There's not much time left. Get a move on!

Lǐ Lín：Láidejí. Zhè shì yǒuguān zīliào, Màizǒng ràng nǐ zài shíwǔ hào
李 琳：来得及。这是　有关　资料，麦总　让你在十五号
yǐqián náchū fāng'àn.
以前　拿出　方案。

Li Lin：There's still time. Here are all the relevant documents. Maizong hopes that
you'll put forward a preliminary plan before the 15th.

Wáng Guāng：Shíwǔ hào shì xīngqī jǐ?
王 光：十五　号 是 星期几?

Wang Guang：What day will it be on the 15th?

Lǐ Lín：　Xià xīngqīsān.
李 琳：(看日历)下　星期三。

Li Lin：(Looking at the calendar)Next Wednesday.

Wáng Guāng：Nà méi jǐ tiān le. Wǒ děi zhuājǐn shíjiān.
王 光：那 没 几 天 了。我 得 抓紧　时间。

Wang Guang：Just a few days from now. I must make the best use of the time.

词　语　Word List

1.该	gāi	（动）	must	(v.)
2.饭	fàn	（名）	food, meal	(n.)
3.一刻	yí kè	（名）	a quarter of an hour	(n.)
4.来得及	láidejí		there is still time, not late	
5.餐厅	cāntīng	（名）	dining room	(n.)
6.下班	xià bān	（动）	to go off work	(v.)
7.快	kuài	（副）	hurry up	(adv.)
8.机场	jīchǎng	（名）	airport	(n.)
9.客人	kèrén	（名）	guest, visitor	(n.)
10.分	fēn	（名）	minute	(n.)
11.来不及	láibují		cannot make it	
12.迟到	chídào	（动）	be late	(v.)
13.让	ràng	（动）	to let	(v.)
14.通知	tōngzhī	（动）	to notify	(v.)

15. 展销会	zhǎnxiāohuì	（名）	commodities fair	(n.)
16. 准备	zhǔnbèi	（动）	to prepare	(v.)
17. 参展	cān zhǎn	（动）	to attend an exhibition	(v.)
18. 事情	shìqing	（名）	thing	(n.)
19. 年	nián	（名）	year	(n.)
20. 月	yuè	（名）	month	(n.)
21. 日	rì	（名）	date	(n.)
22. 至	zhì	（动）	up to, till	(v.)
23. 开始	kāishǐ	（动）	to begin	(v.)
24. 报名	bào míng		to register for	
25. 已经	yǐjing	（副）	already	(adv.)
26. 号	hào	（名）	date, number	(n.)
27. 时间	shíjiān	（名）	time	(n.)
28. 得	děi	（动）	should, must	(v.)
29. 有关	yǒuguān	（形）	relevant	(adj.)
30. 以前	yǐqián	（名）	before, past	(n.)
31. 拿出	náchū	（动）	to put forward	(v.)
32. 方案	fāng'àn	（名）	plan	(n.)
33. 抓紧	zhuājǐn	（动）	to make best use of one's time	(v.)

语言点链接 *Language Points*

1. "该吃饭了/几点了/12点一刻了/来不及了/太晚了"
"Gāi chīfàn le/jǐ diǎn le/shí'èr diǎn yí kè le/láibují le/tài wǎn le"
这几个句子末尾的"了"是语气助词，在结构上不可缺少，表示说话时已经到了或超过了某个时间。
At the end of the preceding phrases "le" is used as a modal particle, indicating the right time for doing something or something that has happened.

2. "麦总让我通知你/让你准备参展的事情/让你15号以前拿出方案"
"Màizǒng ràng wǒ tōngzhī nǐ/ràng nǐ zhǔnbèi cān zhǎn de shìqing/ràng nǐ shíwǔ hào yǐqián náchū fāng'àn"

　　本课的三个带"让"的句子是一种特殊的动词谓语句。它的结构是"让"+名词+动词+其他成分。除了"让"还可以用"叫、使、请、派"等表示使令意义的动词。这种句子的意思是名词后面的行为动作或状态是由第一个动词"让"的动作引起的。例如："麦总让我通知你。"这个句子，李琳"通知"这个行为就是由麦总"让"引起的。再如：王经理叫我去开会、李琳请客户吃饭、公司派JOHN 来中国、工作使他快乐等等。

　　The preceding sentences with"rãng" may be regarded as special sentences with a verbal predicate. They are formed in the pattern of "rãng + noun + verb + other elements". Other causative Chinese verbs are "jiǎo", "shǐ", "qǐng" and "pài". In sentences with such a verb the action or state is introduced by "rãng". More sentences of this type are :"Wáng jīnglǐ jiǎo wǒ qù kāihuì", "Lǐ Lín qǐng kèhù chīfàn", "Gōngsī pài John lái Zhōngguó" and "Gōngzuò shǐ tā kuàilè".

练　习　Exercises

一、跟读并辨别下面音节。

Read the following syllables after the tape and distinguish one from another.

chī fàn–shàng bān
láidejí –láibují
tōngzhī–dōngzhì
zhǔnbèi–yūbèi

二、听录音并熟读下面的句子。

Listen to the recording and read the following sentences until you are fluent.

1. Gāi chī fàn le.
　该　吃　饭 了.

2. Jǐ diǎn le?
　几　点　了？

3. Liǎng diǎn yí kè.
　两　　点　一　刻。

4. Tài wǎn le.
   太　晚　了。

5. Bù wǎn, láidejí.
   不　晚，来得及。

6. Kèrén shénme shíhou dào?
   客人　什么　时候　到？

7. Liǎng diǎn sìshíwǔ fēn.
   两　　点　四十五　分。

8. Láibují le, wǒ bù néng chídào.
   来不及了，我不　能　　迟到。

9. Èrlínglíngwǔ nián yīyuè shíwǔ rì zhì èrshíyī rì.
   二零零五　　年　一月　十五　日至　二十一　日。

10. Jīntiān jǐ hào?
    今天　　几　号？

11. Shíwǔ hào shì xīngqī jǐ?
    十五　　号　是　星期　几？

12. Xià xīngqīsān.
    下　　星期三。

三、请让我们一起再学习几个常用的词语，然后做练习。

Let's learn some more commonly used words before we do the exercises.

补充词语 Supplementary Words

上班	shàng bān	（动）	to go to work	(v.)
电影	diànyǐng	（名）	film	(n.)
开演	kāi yǎn	（动）	to start (to perform)	(v.)
早	zǎo	（形）	early, soon	(adj.)
出差	chū chāi	（动）	be on a business trip	(v.)
旅行	lǚxíng	（动）	to tour	(v.)

选择填空 Fill in the Blanks with Appropriate Words

shàng bān（上班）	láibují（来不及）
láidejí（来得及）	kāi yǎn（开演）
bàn（半）	shénme shíhou（什么时候）
zǎo（早）	xīngqī jǐ（星期几）

1. A：Bā diǎn bàn le.
   A：八　点　半　了。
   B：Gāi　　　　　le.
   B：该 ＿＿＿＿＿ 了。
   A：Wǎn le,
   A：晚　了，＿＿＿＿＿。
   B：Bū wǎn,
   B：不　晚，＿＿＿＿＿。

2. A：Kuài diǎn ba, diànyǐng kuài　　　　le.
   A：快　点　吧，电影　　快＿＿＿＿＿了。
   B：Bié zháo jí, hái　　　　ne.
   B：别　着　急，还 ＿＿＿＿＿ 呢。

3. A：Jǐ diǎn le?
   A：几　点　了?
   B：Sì diǎn　　　　le.
   B：四　点 ＿＿＿＿＿ 了。
   A：Qù hē diǎnr chá ba.
   A：去　喝　点儿　茶　吧。

4. A：Nǐ　　　　chū chāi?
   A：你 ＿＿＿＿＿ 出　差?
   B：Liùyuè èrshí bā hào.
   B：六月　二十八　号。
   A：Nà tiān shì
   A：那　天　是 ＿＿＿＿＿?
   B：Xīngqīwǔ.
   B：星期五。

5. A：Nǐ　　　　　qù lǚxíng?
   A：你 ＿＿＿＿＿ 去　旅行?

55

B：Xià xīngqīwǔ.

B：下　星期五。

A：Tài hǎo le, wǒmen kěyǐ yìqǐ qù.

A：太　好　了，我们　可以一起去。

四、完成下列对话。

Complete the following dialogues.

1.A：Nǐ　　　　　le.

　　A：你 _____ 了。

　　B：Duìbuqǐ, jīnglǐ, lùshang dǔ chē.

　　B：对不起，　经理，　路上 堵　车。

　　A：Nǐ　　　　chūlái de?

　　A：你 _____ 出来　的?

　　B：Bā diǎn yí kè.

　　B：八　点　一　刻。

　　A：Tài　　　　　le.

　　A：太 _____ 了。

　　B：Míngtiān　　　diǎnr.

　　B：明天 _____ 点儿。

2.A：Kèrén　　　dào?

　　A：客人 _____ 到?

　　B：　　　　　fēn.

　　B：_____ 分。

　　A：Dào ménkǒu děng ba.

　　A：到　门口　等　吧。

　　B：Bié zháo jí, hái　　　　　ne.

　　B：别　着　急，还 _____ 呢。

3.A：Èrshí hào shì xīngqī

　　A：二十　号　是　星期 _____ ?

　　B：Xīngqīwǔ.

　　B：星期五。

　　A：Tài hǎo le. Wǒ xiǎng qù lǚxíng.

　　A：太　好　了。我　想　去　旅行。

56

B：Nǐ　　　　　huílái?

B：你 _____ 回来？

A：　　yuè　　hào

A：_____ 月 _____ 号。

4. A：Nǐ shì　　　　　lái gōngsī de?

A：你 是 _____ 来 公司 的？

B：　　nián　　yuè　　rì

B：_____ 年 _____ 月 _____ 日。

A：Wǒ shì　　nián　　yuè lái de.

A：我 是 _____ 年 _____ 月 来 的。

B：Nǐ láide　　　　　wǒ láide

B：你 来 得 _____，我 来 得 _____。

五、请根据课文内容回答下列问题。

Answer the following questions by using the information given in the text.

1. Cāntīng jǐ diǎn xià bān?

　餐厅　几 点 下 班？

2. Kèrén shénme shíhou lái?

　客人　什么　时候 来？

3. Shànghǎi shénme shíhou yǒu zhǎnxiāohuì?

　上海　　什么　时候 有　展销会？

4. Bào míng de shíjiān dào shénme shíhou?

　报　名 的 时间 到　什么　时候？

5. Wáng Guāng hé Lǐ Lín shuō huà shí shì jǐ hào?

　王　　光 和 李琳 说 话 时 是 几号？

六、下面的情景你知道该怎么说吗？请试一试。

Try to express yourself in the following situations.

1. 八点多，用完早餐，孩子让你讲故事，你告诉他你应该去公司了。

When breakfast is over at about 8：00 am, your son asks you to tell him a story. You answer "It's time for me to go to work".

2. 在餐厅，你问一个新职员来公司工作的时间。

You ask a new member of the staff in the canteen about how long he has worked in the company.

3. 你和你的助理讨论一周的工作安排。

You discuss the work for the week with your assistant.

4. 你打电话询问展销会的报名时间。

You inquire about the time for registration at a commodities fair over the phone.

5. 路上堵车，你告诉司机你不能晚到某约定地点，你让司机快点儿。

You tell the driver to speed up when caught in a traffic jam, because you must arrive at the meeting place on time.

6. 加班完毕，你对同事说你担心赶不上最后一班地铁。

When you finish your overtime work you tell your colleagues about your possible failure to catch the last tube train.

七、汉字点击。

Open the CD to view the characters.

请通过光盘点击认读、书写下面的汉字。请注意汉字书写时的笔顺。

Open the CD to view and write the characters with special attention to their stroke-order.

该 饭 刻 及 餐 班 场 人 分 迟 让 通 展 销 准 备
参 情 年 月 日 至 始 已 经 以 出 方 案 抓 紧

文化点击 Cultural Points

汉语的时间表达

与英美国家不同，中国人表达时间时，是按照从大到小的思维习惯说，基本顺序是：年、月、日、时、分、秒。例如：今天是 2004 年 4 月 29 日。17 日上午 8 点 20 分在长城饭店开会。

Chinese Time Expression

Unlike English, Chinese time expressions are generally arranged in a descending order from year, month, date, hour, minute to second. E.g."Jīntiān shì èrlínglíngsì nián sìyuè èrshíjiǔ rì","Shíqī rì shàngwǔ bā diǎn èrshí fēn zài Chángchéng Fàndiàn kāi huì".

Dì-liù kè
第 6 课

Pínyi diǎnr
便宜 点儿

Lesson 6   Can You Make It a Bit Cheaper

导 学 Guiding Remarks

在商务活动中，价格是合作双方谈判的难点。因为价格的高低关系到双方的利益。了解市场的情况，做到心中有数，才能说服对方，以自己满意的价格成交。

In business negotiations prices constitute a difficult point that two parties are always concerned about because they are of vital importance. To know what a businessman should carry out in a market investigation, so as to be able to convince the other party of his good value and to complete business trans-actions successfully.

课文 Text

A

在 BM 公司的样品陈列室。
In the BM Company exhibition room.

Wáng Guāng：Liú jīnglǐ, huānyíng lái gōngsī.
王 光：刘经理， 欢迎 来 公司。
Wang Guang：Welcome to our company, Manager Liu.

两人握手。
They shake hands with one another.

Liú jīnglǐ：Nín hǎo, Wáng jīnglǐ.
刘 经理：您 好， 王 经理。
Liu：Good morning, Manager Wang.

Wáng Guāng：Xīn chǎnpǐn mùlù shōudào le ma?
王 光：新 产品 目录 收到 了吗?
Wang Guang：Have you got the catalogue of our new products?

Liú jīnglǐ：Shōudào le, jīntiān tèyì lái kànkan.
刘 经理：收到 了，今天 特意 来 看看。
Liu：Yes, I have. So I've come to look at them specially today.

Wáng Guāng：Nà hǎo, qǐng dào zhèbiān lái. Zhèxiē shì xīn chǎnpǐn.
王 光：那 好， 请 到 这边 来。(指着样品)这些 是 新 产品。
Wang Guang：That's good. This way please. (Pointing to the samples)These are new products.

Liú jīnglǐ：Bāozhuāng zhēn piàoliang. Zhège duōshao qián?
刘 经理：包装 真 漂亮。 这个 多少 钱?
Liu：Ah, the packing is beautiful. How much is this?

Wāng Guāng：Jiǔbǎi bāshí yuán.
王 光：九百 八十 元。
Wang Guang：980 yuan.

Liú jīnglǐ：Tài guì le!
刘 经理：太 贵 了!
Liu：That's very expensive!

Wāng Guāng：　Xīn chǎnpǐn ma.
王 光：(笑)新 产品 嘛。
Wang Guang：(Smiling) Well, that's newly made.

Liú jīnglǐ：Wǒ shì lǎo kèhù le, piányi yì diǎnr ba.
刘 经理：我 是 老 客户了，便宜 一点儿 吧。
Liu：(Sincerely) I'm your regular customer. Will you make it reasonable?

Wāng Guāng：　Zhège ma...
王 光：(笑)这个 嘛……
Wang Guang：(Smiling) Well, well, well...

在刘力的公司，一个客户订货。

A customer places an order for goods at Liu Li's company.

Liú jīnglǐ: Gāo jīnglǐ, qǐng zuò, qǐng hē chá.
刘 经理:(指着沙发)高 经理, 请 坐, 请 喝 茶。
Liu: (Pointing to the sofa) Manager Gao, sit down please, and have a cup of tea.

Gāo jīnglǐ: Xièxie.
高 经理:(坐下)谢谢。
Gao: (Sitting down) Thank you.

Liú jīnglǐ: Jìnlái shēngyì hǎo ma?
刘 经理:近来 生意 好 吗?
Liu: So how's your business these days?

Gāo jīnglǐ: Hái kěyǐ ba.
高 经理:还 可以 吧。
Gao: Not too bad.

Liú jīnglǐ: Jīntiān xiǎng jìn diǎnr shénme?
刘 经理:今天 想 进 点儿 什么?
Liu: What would you like to buy today?

Gāo jīnglǐ: Yǒu xīn chǎnpǐn ma?
高 经理:有 新 产品 吗?
Gao: Are there any new products?

Liú jīnglǐ: Zhè shì mùlù, nǐ kàn yíxià.
刘 经理:这 是 目录, 你 看 一下。
Liu: This is a catalogue. Have a look at it.

Gāo jīnglǐ: Ǹg, zhǒnglèi bù shǎo, kěshì jiàgé
高 经理:(看)嗯, 种类 不 少, 可是 价格……
Gao: (Glancing over the catalogue) A great variety, but the prices are...

Liú jīnglǐ: Nǐ yào mǎi duōshao?
刘 经理:你 要 买 多少?
Liu: How many are you going to order?

Gāo jīnglǐ：Měi yàng sānbǎi tào.

高 经理：每 样 三百 套。

    Gao：Three hundred for each.

Liú jīnglǐ：Kěyǐ piányi diǎnr.

刘 经理：可以 便宜 点儿。

    Liu：We can make them cheaper for you.

Gāo jīnglǐ：Piányi duōshao?

高 经理：便宜 多少?

    Gao：By how much?

Liú jīnglǐ：Wǒ kànkan.

刘 经理：我 看看。(去拿报价单)

    Liu：Let me see. (Going to get a list
    of quoted prices)

词 语　Word List

1. 产品	chǎnpǐn	（名）	product	(n.)
2. 目录	mùlù	（名）	catalogue	(n.)
3. 收到	shōudào	（动）	to receive	(v.)
4. 特意	tèyì	（副）	specially	(adv.)
5. 这些	zhèxiē	（代）	these	(pron.)
6. 包装	bāozhuāng	（名）	packing	(n.)
7. 漂亮	piàoliang	（形）	beautiful	(adj.)
8. 钱	qián	（名）	money	(n.)
9. 百	bǎi	（数）	hundred	(num.)
10. 元	yuán	（名）	yuan (unit of Renminbi)	(n.)
11. 贵	guì	（形）	expensive	(adj.)
12. 嘛	ma	（语气）	(a modal particle, mp)	
13. 老	lǎo	（形）	old, regular	(adj.)
14. 便宜	piányi	（形）	cheap	(adj.)
15. 一点儿	yì diǎnr	（名）	a little bit	(n.)
16. 近来	jìnlái	（名）	these days	(n.)
17. 进	jìn	（动）	to import, to buy in	(v.)
18. 种类	zhǒnglèi	（名）	kinds, variety	(n.)
19. 少	shǎo	（形）	few, not many	(adj.)
20. 可是	kěshì	（连）	but	(conj.)
21. 价格	jiàgé	（名）	price	(n.)
22. 每	měi	（代）	every	(pron.)
23. 样	yàng	（量）	kind	(mw.)
24. 套	tào	（量）	set	(mw.)

语言点链接　Language Points

"便宜一点儿"

"Piányi yì diǎnr"

"便宜一点儿"意思就是降低价格。"形容词＋一点儿"表示比某个标准在程度上高或低。再如：贵一点儿、好一点儿、高一点儿、多一点儿。

It means to make something cheaper. "Adjective + yì diǎnr" can be used to indicate a comparative degree. E.g.."guì yì diǎnr", "hǎo yì diǎnr", "gāo yì diǎnr" and "duō yì diǎnr".

练　习　Exercises

一、跟读并辨别下面音节。

Read the following syllables after the tape and distinguish one from another.

chǎnpǐn–chǎnmíng

shōudào–chōudiāo

tèyì–déyì

piányi–biànyī

zhǒnglèi–tónglèi

二、听录音并熟读下面的句子。

Listen to the recording and read the following sentences until you are fluent.

1. Zhège duōshao qián?

　这个　多少　钱?

2. Jiǔbǎi bāshí yuán.

　九百　八十　元。

3. Tài guì le.

　太　贵了。

4. Wǒ shì lǎo kèhù, piányi yì diǎnr ba.

　我　是　老客户，便宜　一点儿　吧。

5. Zhǒnglèi bù shǎo, kěshì jiàgé……

　种类　不少，可是价格……

65

6. Nǐ yào mǎi duōshao?
   你 要 买 多少?

7. Měi yàng sānbǎi tào.
   每 样 三百 套。

8. Kěyǐ piányi diǎnr.
   可以 便宜 点儿。

9. Piányi duōshao?
   便宜 多少?

三、请让我们一起再学习几个常用的词语，然后做练习。

Let's learn some more commonly used words before we do the exercises.

补充词语	Supplementary Words			
苹果	píngguǒ	（名）	apple	(n.)
斤	jīn	（量）	jin (half a kilogram)	(mw.)
块	kuài	（量）	piece, slice	(mw.)
件	jiàn	（量）	piece, item	(mw.)
衣服	yīfu	（名）	clothes	(n.)
香蕉	xiāngjiāo	（名）	banana	(n.)
卖	mài	（动）	to sell	(v.)
高	gāo	（形）	high, tall	(adj.)
低	dī	（形）	low	(adj.)

选择填空 Fill in the Blanks with Appropriate Words

duōshao qián（多少钱）   guì（贵）
piányi（便宜）   duōshao（多少）
gāo（高）

1. A：Píngguǒ, ＿＿＿＿＿ yì jīn?
   A：苹果，＿＿＿＿＿一 斤?
   B：Sān kuài.
   B：三 块。
   A：Tài ＿＿＿＿＿ le.
   A：太 ＿＿＿＿＿ 了。

2．A：Zhē jiàn yīfu

　　A：这　件　衣服 ＿＿＿＿＿＿？

　　B：Yìbǎiwǔ.

　　B：一百五。

　　A：　　　　　　　　diǎnr ba.

　　A：＿＿＿＿＿＿ 点儿 吧。

3．A：Xiāngjiāo zěnme mài?

　　A：香蕉　　　怎么　卖?

　　B：Sānkuàiwǔ yì jīn.

　　B：三块五　　一斤。

　　A：＿＿＿＿＿＿！

　　B：Nǐ yào mǎi

　　B：你　要　买＿＿＿＿＿＿？

　　A：Wǒ yào sān jīn.

　　A：我　要　三　斤。

　　B：Kěyǐ　　　　　diǎnr.

　　B：可以 ＿＿＿＿＿＿ 点儿。

4．A：Néng piányi diǎnr ma?

　　A：能　便宜　点儿 吗?

　　B：Nǐ yào mǎi

　　B：你　要　买＿＿＿＿＿＿？

　　A：Wǒ yào yìbǎi jiàn.

　　A：我　要　一百　件。

　　B：Jiǔshíbā yí jiàn.

　　B：九十八　一　件。

　　A：Nǐ de jiàgé tài　　　　le, pángbiān nà jiā dī de duō.

　　A：你的　价格 太 ＿＿＿＿＿＿ 了，旁边　那家 低 得 多。

四、完成下列对话。

Complete the following dialogues.

1．A：Zhège

　　A：这个 ＿＿＿＿＿＿？

　　B：Yìbǎi jiǔshíbā.

　　B：一百　九十八。

67

A：Yǒu   diǎnr de ma?
A：有 _____ 点儿的 吗?

B：Zhège piányi.
B：这个   便宜。

2.A：Zhège zhēn piàoliang.
  A：这个   真   漂亮。

  B：Mǎi yí gè ba.
  B：买 一 个 吧。

  A：   yí gè?
  A：_____ 一 个?

  B：Wǔshíbā.
  B：五十八。

  A：Jiàgé tài   le.
  A：价格 太 _____ 了。

3.A：Zhè zhǒng
  A：这   种 _____?

  B：Liùbǎibā.
  B：六百八。

  A：Wǒ shì lǎo kèhù,   ba!
  A：我 是 老 客户, _____ 吧!

  B：Nǐ xiǎng piányi
  B：你 想   便宜 _____?

  A：Liùbǎi ba.
  A：六百 吧。

  B：Bù xíng, tài   le.
  B：不 行, 太 _____ 了。

4.A：Nǐ mài de tài guì le.
  A：你 卖 得 太 贵 了。

  B：Nǐ gěi
  B：你 给 _____?

  A：Èrbǎisān, zěnmeyàng?
  A：二百三,   怎么样?

  B：Bù xíng,
  B：不 行, _____。

五、请根据课文内容回答下列问题。

Answer the following questions by using the information given in the text.

1. Liú jīnglǐ jīntiān lái BM gōngsī zuò shénme?
   刘 经理 今天 来 BM 公司 做 什么？

2. Xīn chǎnpǐn duōshao qián?
   新 产品 多少 钱？

3. Liú jīnglǐ juéde xīn chǎnpǐn de jiàgé zěnmeyàng?
   刘 经理 觉得 新 产品 的 价格 怎么样？
   Yǒu shénme yāoqiú?
   有 什么 要求？

4. Rúguǒ Gāo jīnglǐ mǎi sānbǎi tào, jiàgé néng piányi yì diǎnr ma?
   如果 高 经理 买 三百 套，价格 能 便宜 一 点儿 吗？

六、下面的情景你知道该怎么说吗？请试一试。

Try to express yourself in the following situations.

1. 在一家花店，你向店主询问玫瑰花的价格。
   You make inquiries about the price of the roses at a florist's.

2. 在一家服装店，你看上了一件衬衫，你向店主询问价格并和他讨价还价。
   Having chosen a shirt in a clothes shop, you ask the salesman about the price and bargain with him.

3. 你的客户就一种新产品的价格和你商谈，你想知道他的订购数量。
   Your customer discusses the price of a new product with you. You want to know the quantity of his order before your offer.

4. 你的一位老客户请求给他优惠的价格，你表示同意。
   You agree to offer your regular customer a favourable price when he bargains with you.

69

七、汉字点击。

Open the CD to view the characters.

请通过光盘点击认读、书写下面的汉字。请注意汉字书写时的笔顺。

Open the CD to view and write the characters with special attention to their stroke-order.

产　目　录　收　特　些　包　漂　亮　钱　元
嘛　便　宜　近　种　类　倒　价　格　套

文化点击 Cultural Points

中国的购物场所

在中国购物的场所中，大型综合商场、超市等跟其他国家没什么不同，但是人们购买食品、烟酒、饮料以及一些日常生活用品常常去住处附近的小商店，这类小商店叫"小卖部"或"便民店"，价格往往比大商场和超市便宜。除此之外，在中国还有很多集贸市场，一般占地比较大，设施比较简单，往往兼有零售和批发功能，主要出售一些未经加工和包装的农副产品和低档日常生活用品。

Shopping Places in China

Chinese large department stores and supermarkets are just like the shopping centres that you can see elsewhere. There are small stores known as "small business departments" or "convenience shops" where people buy food, cigarettes, beverages and daily necessities at reasonable prices. Apart from those, there are also open markets and country fairs that are spaciously and simply organized for both retail and wholesale of unprocessed or unpacked agricultural products, by-products and ordinary daily necessities.

Dì-qī kè　　Qǐng màn yòng
第 7 课　请 慢 用
Lesson 7　　Have a Good Meal

导 学　Guiding Remarks

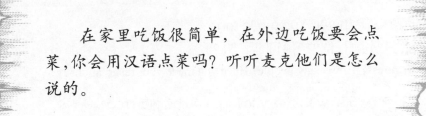

　　在家里吃饭很简单，在外边吃饭要会点菜，你会用汉语点菜吗？听听麦克他们是怎么说的。

　　It's simple to have meals at home. But when you eat out you have to order your dishes. Do you know the Chinese expressions for choosing dishes from a menu? Let's join Mike and his colleagues and listen to what they say in a restaurant.

 课文 Text

A

> 麦克、小王、刘力三人从公司出来到附近一家餐厅吃饭。
> Mike, Xiao Wang and Liu Li come to a nearby restaurant.
> (餐厅门口，身穿红色旗袍的迎宾小姐一边开门，一边说欢迎光临。一位服务员小姐迎上来。)
> (The waitresses in red qipao open the door for them with warm greetings.One of them is asking...)

Fúwùyuán: Jǐ wèi? Yùdìng le ma?
服务员：几 位？ 预订 了吗？
Waitress：How many people? Have you made your reservations?

Wáng Guāng: Sān wèi, méi yùdìng, yǒu bāojiān ma?
王 光：三 位， 没预订， 有 包间 吗？
Wang Guang：Three. No, we haven't. Can we have a private room?

Fúwùyuán: Yǒu, qǐng gēn wǒ lái.
服务员：有， 请 跟 我 来。
Waitress：Yes, come along with me.

> 三人入坐，服务员递上菜谱。
> After they have taken their seats, a waitress presents a menu.

Fúwùyuán：Qǐng diǎn cài.
服务员：请 点 菜。
Waitress：Can I take your order now, sir?

Màikè: Hànzì bú rènshi wǒ.
麦克：(把菜谱正过来反过去，自嘲地一耸肩)汉字 不 认识 我。
Xiǎo Wáng, nǐ diǎn ba.
小 王， 你 点 吧。
Mike：(Turning the menu up and down and shrugging) The Chinese characters don't recognize me. Xiao Wang, please order for us.

72

Wáng Guāng：Liú jīnglǐ diǎn ba.
王 光：刘 经理 点 吧。
Wang Guang：Manager Liu, please decide on something for us.

Liú Jīnglǐ：Wǒ bù shúxī, háishì nǐ diǎn ba.
刘 经理：我 不 熟悉，还是 你 点 吧。
Liu：I am not good at ordering. Please choose something for us.

Wáng Guāng：Hǎo ba.
王 光：好 吧。(在一旁跟服务员点菜)
Wang Guang：Well, let me do it. (He is choosing dishes from the menu while the waitress takes his order.)

Fúwùyuán：Xiānsheng, nǐmen yígòng diǎnle sì gè cài, duì ma?
服务员：先生， 你们 一共 点了四 个 菜，对 吗？
Waitress：(To everybody) Gentlemen, so you have ordered four dishes.Am I right?

Wáng Guāng：Duì, qǐng kuài diǎnr.
王 光：对， 请 快 点儿。
Wang Guang：Yes. Would you be quick?

Fúwùyuán：Hǎo de.
服务员：好 的。
Waitress：Yes, we will.

麦克想吃饺子，用筷子怎么也夹不起来。

Mike wants to eat dumplings, but he fails to pick them up no matter how hard he tries.

Màike：Ò, tā bù xǐhuan wǒ.

麦克：哦，它 不 喜欢 我。(最后麦克用筷子叉起一个饺子送入口中，三人笑)

Mike：Oh, they don't like me.(Finally he uses chopsticks to fork a dumpling into his month. His colleagues keep laughing.)

40 分钟后

40 minutes later

Wāng Guāng：Fúwùyuán, jié zhàng.

王 光：服务员， 结 账。

Wang Guang：Waitress, bill please.

Liú jīnglǐ： Wǒ lái, wǒ lái.

刘 经理：(站起来)我 来，我 来。

Liu：(Standing up) It's on me.

Màikè：Bù xíng, bù xíng, jīntiān wǒmen qǐng kè.

麦克：不 行， 不 行， 今天 我们 请 客。(起身付钱)

Mike：No, no, I'll treat today. (He stands up to pay for the meal.)

B

BM 公司设冷餐会招待新老客户。在某宾馆 5 层餐厅门口。

BM Company is holding a buffet reception in honour of old and new customers.At the entrance to the dining hall on the fifth floor.

Lǐ Lín： Huānyíng, huānyíng gè wèi guānglín.

李 琳：(对进来的客人)欢迎， 欢迎 各 位 光临。

Li Lin：(To coming guests) Welcome! A warm welcome to everybody!

Kèhù：Nǐ hǎo, Lǐ xiǎojiě. Màizǒng láile ma?

客户：你 好，李 小姐。 麦总 来了吗?

Customer：Hi, Miss Li. Is Maizong here now?

Lǐ Lín：Lái le, zài lǐbiān ne.

李 琳：来 了， 在 里边 呢。

Li Lin：Yes, he is in the room.

餐厅里，小王正给麦克介绍两位新客户。

In the dining room Xiao Wang is introducing two new customers to Mike.

Wáng Guāng: Màizǒng, zhè wèi shì Hā'ěrbīn de Yáng jīnglǐ,

王 光：(对麦克)麦总， 这 位 是 哈尔滨 的 杨 经理，

zhè wèi shì Chéngdū de Mǎ jīnglǐ.

这 位 是 成都 的 马 经理。

Wang Guang: (To Maizong) This is Manager Yang from Harbin, Maizong.
And this is Manager Ma from Chengdu.

Màikè: Hěn gāoxìng rènshi èr wèi.

麦克：很 高兴 认识 二 位。

Mike: Glad to meet you.

Yáng: Nǐ hǎo, Màizǒng.

杨：你 好， 麦总。

Yang: How do you do, Maizong.

Mǎ: Màizǒng, nǐ hǎo.

马：麦总， 你 好。

Ma: Hi, Mike.

Màikè: Mǎ xiǎojiě zhēn piàoliang.

麦克：马 小姐 真 漂亮。

Nǐ shì bu shì yòng BM huàzhuāngpǐn a?

你 是 不 是 用 BM 化妆品 啊？

Mike: Miss Ma looks really beautiful. Do you use BM cosmetics?

Mǎ: Shìde, wǒ shì BM de zhōngshí gùkè.

马：(脸有点红)是的，我 是 BM 的 忠实 顾客。

Ma: (Flushes) Yes, I do. I am a faithful customer of BM.

Màikè: Shì ma? Tài hǎo le.

麦克：是 吗？ 太 好 了。

Mike: Are you? I am pleased to hear that.

李琳进来了。

Li Lin Comes in.

Lǐ Lín：Gè wèi hē diǎnr shénme? Jiǔ hé yǐnliào zài nàbiān,

李 琳：各位 喝点儿 什么？ 酒和 饮料 在 那边，

　　　　yào bu yào wǒ gěi duān guòlái?

　　　　要 不 要 我 给 端 过来？

Li Lin：Everybody, what would you like to drink? Wine and soft drinks are over there.
Shall I ask the waiters to bring them over?

Màikè：Gěi wǒ lái yì bēi hóng pútáojiǔ ba. Mǎ xiǎojiě ne?

麦克：给 我 来 一 杯 红 葡萄酒 吧。马 小姐 呢？

Mike：Give me a glass of red wine. (Turning round) What would you like to have, Miss Ma?

Mǎ：Wǒ yào bēi guǒzhīr.

马：我 要 杯 果汁儿。

Ma：I would like to have a glass of fruit juice.

大家都端着酒杯。

Everyone is holding a glass.

Màikè：　　Gǎnxiè gè wèi guānglín, gǎnxiè dàjiā duì BM gōngsī de zhīchí.

麦克：(举杯) 感谢 各 位 光临， 感谢 大家 对 BM 公司 的 支持。

Mike：(Raising his glass) Thank you for your coming, ladies and gentlemen!
And thank you for supporting BM Company.

词 语　　*Word List*

1. 预订	yùdìng	（动）	to book in advance	(v.)
2. 包间	bāojiān	（名）	private room (in a restaurant)	(n.)
3. 点	diǎn	（动）	to order (dishes)	(v.)
4. 菜	cài	（名）	dish	(n.)
5. 汉字	Hànzì	（名）	Chinese character	(n.)
6. 熟悉	shúxī	（动）	to familiarize	(v.)
7. 先生	xiānsheng	（名）	sir, mister	(n.)
8. 一共	yígòng	（副）	altogether	(adv.)
9. 它	tā	（代）	it	(pron.)
10. 结账	jié zhàng	（动）	to pay for something	(v.)
11. 里边	lǐbiān	（名）	inside	(n.)
12. 哈尔滨	Hā'ěrbīn	（专名）	Harbin	(pn.)
13. 杨	Yáng	（专名）	*surname*	(pn.)
14. 成都	Chéngdū	（专名）	Chengdu	(pn.)
15. 马	Mǎ	（专名）	*surname*	(pn.)
16. 忠实	zhōngshí	（形）	faithful	(adj.)
17. 顾客	gùkè	（名）	customer	(n.)
18. 酒	jiǔ	（名）	wine	(n.)
19. 饮料	yǐnliào	（名）	beverage	(n.)
20. 端	duān	（动）	to hold with both hands	(v.)
21. 过来	guòlái	（动）	to come over	(v.)
22. 红	hóng	（形）	red	(adj.)
23. 葡萄酒	pútáojiǔ	（名）	grape wine	(n.)
24. 果汁儿	guǒzhīr	（名）	fruit juice	(n.)
25. 支持	zhīchí	（动）	to support	(v.)

语言点链接　　*Language Points*

1. 你是不是用 BM 化妆品？

"Nǐ shì bu shì yòng BM huàzhuāngpǐn?"

用"是不是"的问句表示提问的人对某种情况已有比较肯定的估计，为了进一步证实，就用"是不是"提问。"是不是"还可以放在句首或句尾，例如上句也可变为"是不是你用BM化妆品？"或"你用BM化妆品，是不是？"。再如：他是不是王经理？是不是你会说汉语？麦克在北京工作，是不是？

An interrogative sentence with "shì bu shì" indicates that the speaker who feels confident of his judgement wants to verify his suspicions. "shì bu shì" may be also used at the beginning or end of a sentence. E.g. "Shì bu shì nǐ yòng BM huàzhuāngpǐn？" "Nǐ yòng BM huàzhuāngpǐn, shì bu shì？" "Tā shì bu shì Wáng jīnglǐ？" "Shì bu shì nǐ huì shuō hànyǔ？" "Màikè zài Běijīng gōngzuò, shì bu shì？"

2. "要不要我给端过来"

"Yào bu yào wǒ gěi duān guòlái"

这种问句叫正反问句。它是把谓语的肯定形式和否定形式并列起来构成的，可选择其中一个作为答语。上句的回答可以是"要"或者"不要"。再如：你来不来？回答"来"或者"不来"。有没有钱？回答"有"或者"没有"。你买不买？回答"买"或者"不买"。

This is a yes-or-no interrogative sentence with the affirmative and negative forms of the verbal predicate. The answer to the question is based on one of the two possibilities: "yào" or "bú yào". Similarly the answer to "nǐ lái bu lái" is "lái" or "bù lái"; to "yǒu méi yǒu qián" is "yǒu" or "méi yǒu"; to "nǐ mǎi bu mǎi" is "mǎi" or "bù mǎi".

3. "端过来"

"Duān guòlái"

"端过来"的意思是李琳通过"端"这个动作使酒或饮料的位置从别的地方转向客人所在的位置。在汉语里，"动词＋过来"叫复合趋向补语，表示动作使事物转向说话人(立足点)或使事物改变位置(由远至近)。"动词＋过去"也是复合趋向补语，意思和"动词＋过来"相反，表示动作使事物背离说话人(立足点)或使事物改变位置(由近至远)。如图示：酒端过去←客人(立足点)←酒端过来。再如：报纸拿过来／拿过去、他跑过来／跑过去、文件送过来／送过去、信发过来／发过去。

It means "to bring over". "verb + guòlái" is used here as a complex directional complement, indicating that something is moving towards the speaker or getting nearer to him. "verb + guòqù" is a similar phrase in grammar but opposite in meaning. They may be illustrated as: wine taken over ← guest（stand point）← wine brought in. More examples are: bàozhǐ ná guòlái / ná guòqù, tā pǎo guòlái / pǎo guòqù, wénjiàn sòng guòlái / sòng guòqù, xìn fā guòlái / fā guòqù.

练 习　　Exercises

一、跟读并辨别下面音节。

Read the following syllables after the tape and distinguish one from another.

yūdìng–dìnggòu

xǐhuan–xíguàn

lǐbiān–nàbiān

zhīchí–zhīshi

二、听录音并熟读下面的句子。

Listen to the recording and read the following sentences until you are fluent.

1. Jǐ wèi?Yùdìng le ma?
   几 位？预订 了吗？

2. Yǒu bāojiān ma?
   有　包间　吗？

3. Qǐng diǎn cài.
   请　点 菜。

4. Xiǎo Wáng, nǐ diǎn ba.
   小　王，你 点 吧。

5. Fúwùyuán, jié zhàng.
   服务员，　结 账。

6. Jīntiān wǒmen qǐng kè.
   今天　我们　请 客。

7. Gè wèi, hē diǎn shénme?
   各 位，喝 点 什么？

8. Jiǔ hé yǐnliào zài nàbiān, yào bu yào wǒ gěi duān guòlái?
   酒 和 饮料 在 那边，要 不 要 我 给 端 过来？

9. Gěi wǒ lái bēi hóng pútáojiǔ ba.
   给 我 来 杯 红　葡萄酒 吧。

10. Wǒ yào bēi guǒzhīr.
    我 要 杯 果汁儿。

三、请让我们一起再学习几个常用的词语，然后做练习。

Let's learn some more commonly used words before we do the exercises.

补充词语　Supplementary Words

唱	chàng	（动）	to sing	(v.)
卡拉 OK	kǎlā OK	（名）	karaoke	(n.)
完	wán	（动）	to finish	(v.)
歌	gē	（名）	song	(n.)
炒	chǎo	（动）	to stir-fry	(v.)
鸡蛋	jīdàn	（名）	egg	(n.)
牛肉	niúròu	（名）	beef	(n.)
沙拉	shālā	（名）	salad	(n.)
啤酒	píjiǔ	（名）	beer	(n.)
可乐	kělè	（名）	Coca-Cola	(n.)
主食	zhǔshí	（名）	staple food	(n.)
米饭	mǐfàn	（名）	cooked rice	(n.)
面条	miàntiáo	（名）	noodles	(n.)
包子	bāozi	（名）	steamed stuffed bun	(n.

选择填空　Fill in the Blanks with Appropriate Words

jǐ wèi（几位）	yùdìng（预订）
bāojiān（包间）	kǎlā OK（卡拉 OK）
càipǔ（菜谱）	diǎn（点）
lái（来）	yào（要）
hē（喝）	kělè（可乐）
píjiǔ（啤酒）	miàntiáo（面条）

1. A：Qǐngwèn _____ le ma?

A：请问 _____? _____ 了 吗?

B：Sān wèi. Méi yùdìng. Yǒu _____ ma?

B：三 位。没 预订。有 _____ 吗?

A：Yǒu, qǐng gēn wǒ lái.

A：有，请 跟 我 来。

C：Néng chàng _____ ma?

C：能 唱 _____ 吗?

A：Kěyǐ.

A：可以。

D：Chī wán fàn chàngchang gē ba.

D：吃　完　饭　　唱唱　　歌吧。

B：Hǎo, hǎo.

B：好，　好。

2. A：Gè wèi xiǎng chī shénme？Qǐng diǎn ba?

A：各　位　想　吃　什么?　请　点　吧。

B：Wǒ yào chǎo jīdàn.

B：我　要　炒　鸡蛋。

C：Wǒ　　　　　gè niúròu.

C：我 _____个　牛肉。

A：Nǐ ne?

A：你　呢?

D：Wǒ　　　　　fèn shālā ba.

D：我 _____份　沙拉　吧。

3. A：　　　　　diǎn shénme?

A：_____点　什么?

B：Wǒ yào bēi

B：我　要　杯 _____。

C：Wǒ hē

C：我　喝 _____。

A：Xiǎo Wáng, nǐ hē shénme?

A：小　王，你　喝　什么?

D：Wǒ　　　　　bēi guǒzhī ba.

D：我 _____杯　果汁　吧。

4. A：Zhǔshí chī diǎnr shénme?

A：主食　吃　点儿　什么?

B：Wǒ chī mǐfàn.

B：我　吃　米饭。

C：Wǒ yào yì wǎn

C：我　要　一　碗 _____。

A：Nǐ yào shénme, Xiǎo Lǐ?

A：你　要　什么，小　李?

D：Wǒ　　　　　fèn bāozi.

D：我 _____份　包子。

四、完成下列对话。

Complete the following dialogues.

1. A：Wǎnshang hǎo, huānyíng guānglín.

A：晚上 好, 欢迎 光临。

B：Yǒu _____ ma?

B：有 _____ 吗?

A：Yǒu, nín yígòng

A：有, 您 一共 _____?

B：Sì wèi.

B：四 位。

A：Qǐng zhèbiān lái.

A：请 这边 来。

B：Néng chàng _____ ma?

B：能 唱 _____ 吗?

A：Kěyǐ.

A：可以。

2. A：Dàjiā bié kèqi, _____ cài ba.

A：大家 别 客气, _____ 菜 吧。

B：Wǒ yào

B：我 要 _____。

C：Wǒ diǎn

C：我 点 _____。

A： _____ diǎn shénme?

A： _____ 点 什么?

B：Wǒ hē

B：我 喝 _____。

C：Wǒ lái bēi

C：我 来 杯 _____。

A：Xiǎojiě, qǐng kuài diǎn.

A：小姐, 请 快 点。

D：Hǎo de. Qǐng shāo děng.

D：好 的。 请 稍 等。

3.A：Zài yào diǎnr zhǔshí ba.

A：再　要　点儿　主食　吧。

B：Hǎo ba. Wǒ chī

B：好　吧。我　吃_____。

C：Wǒ yào

C：我　要_____。

A：Zhāng xiǎojiě ne?

A：张　　小姐　呢?

D：Wǒ lái

D：我　来_____。

4.A：Gè wèi, zài chī diǎn shénme?

A：各位，再　吃　点　什么?

B：　　　　hǎo le, xièxie.

B：_____好了，谢谢。

A：Zài hē diǎn shénme?

A：再　喝　点　什么?

C：　　　　hǎo le, bú yào le.

C：_____好了，不　要　了。

A：Nà hǎo, xièxie gè wèi de guānglín. Xiǎojiě, jié zhàng.

A：那　好，谢谢　各位　的　光临。　小姐，结　账。

B：Wǒ lái, wǒ lái.

B：我　来，我　来。

A：Bié kèqi, wǒ lái. Jīntiān wǒmen

A：别　客气，我　来。今天　　我们_____。

五、请根据课文内容回答下列问题。

Answer the following questions by using the information given in the text.

1.Xiǎo Wáng wèn fúwùyuán shénme?

小　王　问　服务员　什么?

2.Zhège cāntīng hái yǒu bāojiān ma?

这个　　餐厅　还　有　包间　吗?

3.Xiǎo Wáng tāmen yígòng diǎnle jǐ gè cài?

小　王　他们　一共　点了　几个菜?

4.Chī wán fàn tāmen zuò shénme?
　吃　完　饭　他们　做　什么？

5.Lǐ Lín yào gěi kèrén duān guòlái shénme?
　李琳　要　给　客人　端　过来　什么？

6.Màikè hé Mǎ xiǎojiě xiǎng hē shénme?
　麦克　和　马　小姐　想　喝　什么？

六、下面的情景你知道该怎么说吗？请试一试。
　　Try to express yourself in the following situations.

1.你请一位客户吃饭，你想要一个单独的房间，怎么对服务员说？
You want to have a private room for a meal with your customer. How would you tell the waiter about it in Chinese?

2.在酒会上，主人问你喝什么酒或饮料，请你用中文回答。
At a cocktail party the host asks you what you would like to drink. How would you reply in Chinese?

3.你请客人吃饭，用餐完毕，客人要去付钱，你怎么礼貌地拒绝。
The guest wants to pay for the dinner that you invite him to at the end of the party. How would you politely refuse him in Chinese?

4.用餐完毕，你要付钱，怎么对服务员说？
You want to pay for the meal that you have just had. What would you say in Chinese to the waiter?

5.当服务员把菜谱递给你，是请你做什么？请你说出这句中文。
What would you say in Chinese when a waiter passes you a menu in the restaurant?

七、汉字点击。
　　Open the CD to view the characters.

　　　请通过光盘点击认读、书写下面的汉字。请注意汉字书写时的笔顺。
　　Open the CD to view and write the characters with special attention to their stroke-order.

预 订 跟 菜 字 熟 悉 共 它 结 账 呢 哈 尔 滨
杨 忠 实 顾 酒 饮 料 端 红 葡 萄 果 汁 支 持

文化点击 Cultural Points

中国菜和中国人请客的习惯。

　　中国地域辽阔，各地的自然地理、气候条件、资源特产、饮食习惯差异较大，形成了许多富有地方特色的菜系。最有代表性的是鲁、川、粤、闽、苏、浙、湘、徽等八大菜系。可以说中国菜世界闻名。"吃"，在中国被视为非常重要的事情。无论是洽谈生意还是参观访问，请客吃饭都是少不了的日程安排。中国人认为，请客吃饭有助于增强感情、发展友谊。吃饭时主人习惯给客人夹菜，这表示主人的真诚、好客。如果你不习惯可以说"谢谢，我自己来。"另外，两个以上中国人一起外出吃饭时，一般不会各付各的钱，很多时候是每个人都主动表示要付钱。

Chinese Dishes and Entertainment of Guests

China is a vast country with great differences in geography, climate, natural resources, cooking and dietary customs from province to province. All these give rise to varied preparation of food. The world-renowned styles of cooking are the Shandong, Sichuan, Cantonese, Fujianese, Jiangsu, Zhejiang, Hunan and Anhui. Eating in China is regarded as most important entertainment that business talks and sightseeing tours are always arranged together with opportunities to enjoy local cuisine. It seems to Chinese people that such entertainment is beneficial for people to understand one another and to promote their friendship. Chinese hosts' sincerity and hospitality are clearly shown by their help with your food on the table. If you feel this to be unnecessary you may say "Thank you, but I'll help myself." On occasions that two or more people eat out Chinese people will forwardly vie with each other in paying for the meal instead of sharing the expense among themselves.

Dì-bā kè   Wǒ yào cún qián
第 8 课   我要存钱
Lesson 8   I Want to Deposit My Money

导学 **Guiding Remarks**

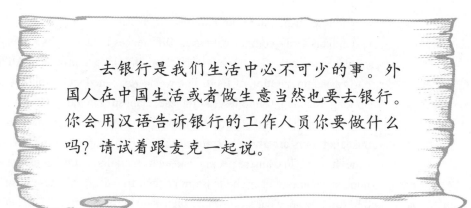

去银行是我们生活中必不可少的事。外国人在中国生活或者做生意当然也要去银行。你会用汉语告诉银行的工作人员你要做什么吗？请试着跟麦克一起说。

Banking is necessary in our daily life. Foreigners who live and do business in China also do their banking here. Have you learned any Chinese for conducting banking? Follow Mike and you will learn how to express yourself in Chinese at a bank.

课文 Text

A

在一家银行。上午，人很少。麦克刚站在柜台前，工作人员就热情地和他打招呼。

There are only a few people at a local bank in the morning. Mike is warmly greeted at a counter.

Gōngzuò rényuán: Nǐ hǎo!
工作 人员：你 好!
Clerk：Can I help you, Sir?

Māikè: Nǐ hǎo!
麦克：(因为汉语不太好有点慌乱)你 好!
Wǒ yào cún qián, hái yào huàn qián.
我 要 存 钱，还要 换 钱.
(工作人员等着麦克把钱递进来但麦克什么也没做)。
Mike：(Feeling awkward with his insufficient Chinese) I want to deposit my money, and also change some money. (The clerk's readiness meets with no response.)

Gōngzuò rényuán：Qǐng gěi wǒ.
工作 人员：请　给我。
Clerk：Give it to me please.

Màikè：Shénme?
麦克：什么?
Mike：What?

Gōngzuò rényuán：　Qián ya.
工作 人员：(笑)钱　呀。
Clerk：(Smiling)Your money.

Màikè：Méiyǒu qián.
麦克：没有　钱。
Mike：I don't have any money.

Gōngzuò rényuán：　Méiyǒu qián?
工作 人员：(笑)没有　钱?
Clerk：(Smiling) Did you say you don't have any money?

Màikè：Yǒu zhège.
麦克：有　这个。(麦克才想起来从包里往外拿)
Mike：I have this (Mike realizes his cheques and then produces them from his valise.)

Gōngzuò rényuán：　　　　　Zhīpiào a.　Kàn yíxià nǐ de hùzhào.
工作 人员：(看)(递给麦克)支票 啊。 看 一下你的　护照。
tián yí gè dānzi.
填　一个 单子。
Clerk：(Looking at them) Oh, traveller's cheques. May I have a look at your passport?
(Examing it) Fill in a form, please! (Passing him a form.)

Màikè：　　　　Duì ma?
麦克：(填完后)对　吗?
Mike：(Having completed the form) Is it O.K.?

Gōngzuò rényuán：Duì. Yào huànchéng rénmínbì ma?
工作 人员：对。　要　换成　人民币 吗?
Clerk：Yes. Are you going to change them for RMB?

麦克：Yào, huàn wǔbǎi měiyuán. Qítā de cún qǐlái.
麦克：要， 换 五百 美元。 其他的 存 起来。
Mike：Yes, but I am going to cash 500 U.S. dollars for RMB. The rest of the amount will be deposited into my account.

B

麦克去旁边的桌子上拿存款单和取款单。
Mike goes to get the pay-in and drawing-out slips from next counter.

Gōngzuò rényuán： Hóng de shì qǔkuǎndān, lán de shì cúnkuǎndān.
工作 人员：(看麦克填)红 的 是 取款单， 蓝 的 是 存款单。
Clerk：(Looking at the slips) The red is a drawing-out slip, and the blue is a pay-in one.

Màikè：Xièxie.
麦克：谢谢。(填完后递给工作人员)
Mike：Thank you. (Handing them to the clerk after he has completed them.)

Gōngzuò rényuán： Qǐng zài zhèlǐ tiánshàng nín de hùzhào hàomǎ.
工作 人员：(指着单子)请 在 这里 填上 您 的 护照 号码。
Clerk：(Pointing to a slip) Write down your passport number here, please.

麦克填好后又交给工作人员。
Mike hands it in after completion.

Gōngzuò rényuán：Qǐng nín shūrù mìmǎ.
工作 人员：请 您 输入 密码。(麦克输密码)
Clerk：Please type your PIN in. (Mike types his PIN)

Gōngzuò rényuán：Qǐng nín zài shūrù yí biàn.
工作 人员：请 您再 输入 一遍。
Clerk：Please confirm it.

Màikè：Jīntiān de měiyuán huìjià shì duōshao?
麦克：今天 的 美元 汇价 是 多少?
Mike：What's the exchange rate between U.S.dollars and RMB today?

89

Gōngzuò rényuán：　　Qǐng kàn qiáng shàng.

工作 人员：(指着墙)请 看　墙　上。

Clerk：(Pointing to the wall) Please take a look on the wall over there.

Màikè：　　　　　　Bā diǎn èrjiǔyīsān.

麦克：(看墙上的牌价，念)八 点 二九一三。

Mike：(Looking up and reading out) It's 8.2913.

Gōngzuò rényuán：　　Zhè shì nín de cúnzhé, qǐng ná hǎo.

工作 人员：(对麦克)这 是 您 的 存折，　请 拿 好。

Zhè shì sìqiān yībǎi sānshíwǔ yuán, qǐng shǔ yíxià.

这 是 四千 一百 三十五 元，　请 数 一下。

Zhè shì duìhuàndān, qǐng ná hǎo.

这 是　兑换单，　请 拿 好。

Clerk：(To Mike) This is your deposit book, keep it safely. Here is your money, 4135 yuan. Please check it. And this is your exchange slip.

Màikè：Xièxie.

麦克：谢谢。(忙乱地整理钱和东西)

Mike：Thank you. (Busy with his cash and slips.)

词　语　Word List

1. 存	cún	（动）	to deposit	(v.)
2. 换	huàn	（动）	to exchange	(v.)
3. 支票	zhīpiào	（名）	check	(n.)
4. 护照	hùzhào	（名）	passport	(n.)
5. 填	tián	（动）	to fill in	(v.)
6. 单子	dānzi	（名）	slip	(n.)
7. 美元	měiyuán	（名）	U. S. dollar	(n.)
8. 其他	qítā	（代）	other, rest	(pron.)
9. 起来	qǐlái	（动）	to begin, to be up	(v.)
10. 取款单	qǔkuǎndān	（名）	drawing-out slip	(n.)
11. 蓝	lán	（形）	blue	(adj.)
12. 存款单	cúnkuǎndān	（名）	pay-in slip	(n.)
13. 输入	shūrù	（动）	to type in	(v.)
14. 密码	mìmǎ	（名）	secret code, PIN	(n.)
15. 遍	biàn	（量）	time	(mw.)
16. 汇价	huìjià	（名）	exchange rate	(n.)
17. 墙	qiáng	（名）	wall	(n.)
18. 存折	cúnzhé	（名）	deposit book	(n.)
19. 千	qiān	（数）	thousand	(num.)
20. 十	shí	（数）	ten	(num.)
21. 五	wǔ	（数）	five	(num.)
22. 数	shǔ	（动）	to count	(v.)
23. 兑换单	duìhuàndān	（名）	exchange slip	(n.)

语言点链接　Language Points

1. "红的是取款单，蓝的是存款单"

"Hóng de shì qǔkuǎndān, lán de shì cúnkuǎndān"

红的＝红的单子，蓝的＝蓝的单子。形容词＋"的"＝形容词＋"的"＋名词。
例如：一件贵的＝一件贵的衣服、买两双黑的＝买两双黑的皮鞋／手套、男士用的＝男士用的东西、一瓶喝的＝一瓶喝的饮料／酒／水。

Here "hóng de" means "the red one"; "lán de" means "the blue one". So "adjective + de" is equal to "an adjective + de + a noun". E.g.." yí jiàn guì de" = "yí jiàn guì de yīfu"; "mǎi liǎng shuāng hēi de" = "mǎi liǎng shuāng hēi de píxié/shǒutào"; "nánshì yòng de" = "nánshì yòng de dōngxi"; "yì píng hē de" = "yì píng hē de yǐnliào /juǐ/shuǐ".

2. "看一下 / 填一下 / 数一下 / 再输入一遍"

"Kàn yíxià/tián yíxià/shǔ yíxià/zài shūrù yí biàn"

动词后边的"下"和"遍"叫动量词，表示动作的次数。"一下"表示短暂的动作，也有舒缓语气的作用。"一遍"则表示动作从开始到结束的整个过程。再如：来一下 / 去一下 / 用一下。看了一遍 / 说了一遍 / 数了一遍。

"Xià" and "biàn" used after a verb are known as verbal measure words. "yíxià" indicates a brief action, and also has a euphonic function. "yí biàn" is often used to describe a "begining to end" process. Similar phrases are lái yíxià/qù yíxià/yòng yíxià; kànle yí biàn /shuōle yí biàn/shǔle yí biàn.

3. "8.2913"

读做八点二九一三

"8.2913" can be read as "bā diǎn èrjiǔyīsān".

4. "存起来"

"Cún qǐlái"

此处"起来"表示完成对某个事物的动作行为。再如：钱藏起来了、报纸放起来了、画挂起来了。

Here "qǐlái" means "to finish an action to a thing". Similar expressions are "qián cáng qǐlái le", "bàozhǐ fàng qǐlái le" and "huà guà qǐlái le".

练 习　　　Exercises

一、跟读并辨别下面音节。

　　　Read the following syllables after the tape and distinguish one from another.

zhīpiào–fāpiào
dānzi–dāncí
qǐlái–jǐlái
shūrù–zhūrù

二、听录音并熟读下面的句子。

Listen to the recording and read the following sentences until you are fluent.

1. Wǒ yào cún qián, hái yào huàn qián.
   我　要　存　钱，还　要　换　钱。

2. Kàn yíxià nǐ de hùzhào, tián yí gè dānzi.
   看　一下 你 的 护照，填　一　个 单子。

3. Yào huànchéng rénmínbì ma?
   要　换成　　人民币　吗?

4. Huàn wǔbǎi měiyuán, qítā de cún qǐlái.
   换　五百　美元，其他 的 存 起来。

5. Hóng de shì qǔkuǎndān, lán de shì cúnkuǎndān.
   红　的 是　取款单，蓝 的 是　存款单。

6. Qǐng zài zhèlǐ tiánshàng nín de hùzhào hàomǎ.
   请　在 这里　填上　您 的 护照 号码。

7. Qǐng shūrù mìmǎ.
   请　输入 密码。

8. Jīntiān de měiyuán huìjià shì duōshao?
   今天　的 美元　汇价 是　多少?

9. Zhè shì nín de cúnzhé, qǐng ná hǎo.
   这 是 您 的 存折，请 拿 好。

10. Zhè shì sìqiān yìbǎi sānshíwǔ yuán, qǐng shǔ yíxià.
    这 是 四千 一百 三十五 元，请 数 一下。

11. Zhè shì duìhuàndiān.
    这 是　兑换单。

93

三、请让我们一起再学习几个常用的词语，然后做练习。

Let's learn some more commonly used words before we do the exercises.

补充词语	Supplementary Words			
外币	wàibì	（名）	foreign currency	(n.)
日元	rìyuán	（名）	Japanese yen	(n.)
欧元	ōuyuán	（名）	Euro	(n.)
英镑	yīngbàng	（名）	Pound Sterling	(n.)
刷	shuā	（动）	to swipe	(v.)
卡	kǎ	（名）	card	(n.)

选择填空 Fill in the Blanks with Appropriate Words

huàn（换）　　　　　　yīngbàng（英镑）

rìyuán（日元）　　　　rénmínbì（人民币）

dānzi（单子）　　　　　cún（存）

cúnkuǎndān（存款单）　qǔ（取）

duōshao（多少）　　　　cúnzhé（存折）

shūrù（输入）　　　　　zhīpiào（支票）

hùzhào（护照）　　　　tián（填）

huìjià（汇价）　　　　　shuā kǎ（刷卡）

1. A：Nǐ hǎo.

   A：你 好。

   B：Nǐ hǎo. Wǒ yào　　　　　qián!

   B：你 好。我 要 _____ 钱。

   A：Nǐ yǒu nǎ zhǒng wàibì?

   A：你 有 哪 种 外币？

   B：Wǒ yǒu　　　　　hé　　　　　

   B：我 有 _____ 和 _____。

   A：Nǐ yào huàn nǎ zhǒng qián?

   A：你 要 换 哪 种 钱？

   B：Wǒ yào huàn

   B：我 要 换 _____。

2. A：Nǐ hǎo.

   A：你 好。

   B：Nǐ hǎo, wǒ yào　　　　　qián.

   B：你 好，我 要 _____ 钱。

A：Tián yí gè
A：填　一个 _____。

B：Nǎ zhǒng dānzi?
B：哪　种　单子?

A：Lán de shì
A：蓝　的是 _____。

B：Xièxie.
B：谢谢。

3. A：Nǐ hǎo.
　　A：你　好。

　　B：Nǐ hǎo, wǒ yào 　　　　qián.
　　B：你　好，我　要 _____ 钱。

　　A：Nín yào qǔ
　　A：您　要　取 _____?

　　B：Yìqiān.
　　B：一千。

　　A：Qǐng 　　　mìmǎ. Zhè shì yìqiān, zhè shì nín de 　　　qǐng ná hǎo.
　　A：请 _____ 密码。这是　一千，这是　您　的 _____，请　拿　好。

　　B：Xièxie.
　　B：谢谢。

　　A：Bú kèqi.
　　A：不　客气。

4. A：Nǐ hǎo.
　　A：你　好。

　　B：Nǐ hǎo, zhèlǐ kěyǐ duìhuàn lǚxíng 　　　　ma?
　　B：你　好，这里 可以　兑换　旅行 _____ 吗?

　　A：Kěyǐ. Kàn yíxià nín de 　　　　　　　　　　　yí gè dānzi.
　　A：可以。看　一下 您　的 _____。_____ 一　个 单子。

　　B：Zhèyàng tián duì ma?
　　B：这样　　填　对　吗?

　　A：Duì, qǐng zài zhèr qiānmíng.
　　A：对，　请　在 这儿　签名。

5. A：Nǐ hǎo.
　　A：你　好。

B：Nǐ hǎo. Wǒ yào cún qián, hái yào huàn qián.

B：你好。我要存钱，还要换钱。

A：＿＿＿＿＿＿＿＿duōshao?

A：＿＿＿＿＿＿＿＿多少？

B：Bābǎi.

B：八百。

A：Hái yào＿＿＿＿＿＿rénmínbì ma?

A：还要＿＿＿＿＿＿人民币吗？

A：Shì, gěi nǐ liǎngbǎi ōuyuán. Jīntiān ōuyuán de

B：是，给你两百欧元。今天欧元的＿＿＿＿＿＿
shì duōshao?
是多少？

A：Qǐng kàn nàbiān.

A：请看那边。

6.A：Nǐ hǎo, qǐng wèn, zhèr néng＿＿＿＿＿＿ma?

A：你好，请问，这儿能＿＿＿＿＿＿吗？

B：Nǐ yǒu nǎ zhǒng

B：你有哪种＿＿＿＿＿＿？

A：Zhè zhǒng.

A：这种。

B：Kěyǐ.

B：可以。

四、完成下列对话。

Complete the following dialogues.

1.A：Nǐ hǎo.

A：你好。

B：Nǐ hǎo, wǒ yào＿＿＿＿＿＿hái yào

B：你好，我要＿＿＿＿＿＿，还要＿＿＿＿＿＿。

A：Tián liǎng gè

A：填两个＿＿＿＿＿＿。

B：Nǎ zhǒng dānzi?

B：哪种单子？

A：Hóng de shì＿＿＿＿＿＿lán de shì

A：红的是＿＿＿＿＿＿，蓝的是＿＿＿＿＿＿。

2.A：Nǐ hǎo.

　A：你 好。

　B：Nǐ hǎo, Zhèr kěyǐ　　　lǚxíng　　ma?

　B：你 好，这儿 可以 ＿＿＿＿ 旅行 ＿＿＿＿ 吗?

　A：Kěyǐ, kàn yíxià nín de　　　　　yíxià zhège dānzi.

　A：可以，看 一下 您 的 ＿＿＿＿。＿＿＿＿一下 这个 单子。

　B：Zhè yàng　　　　duì ma?

　B：这 样＿＿＿＿＿＿对 吗?

　A：Duì.

　A：对。

3.A：Nǐ hǎo.

　A：你 好。

　B：Nǐ hǎo. Wǒ yào

　B：你 好。 我 要＿＿＿＿＿＿。

　A：Nǐ yǒu nǎ zhǒng wàibì?

　A：你 有 哪 种 外币?

　B：Wǒ yǒu

　B：我 有 ＿＿＿＿＿＿。

　A：Huàn rénmínbì ma?

　A：换 人民币 吗?

　B：Duì.

　B：对。

4.A：Nǐ hǎo.　　　　　　ma?

　A：你 好。＿＿＿＿＿＿吗?

　B：Huàn qián. Zhè shì qībǎi měiyuán.

　B：换 钱。 这 是 七百 美元。

　A：Huàn rénmínbì ma?

　A：换 人民币 吗?

　B：Duì. Jīntiān de　　　　　shì duōshao?

　B：对。 今天 的 ＿＿＿＿＿＿是 多少?

　A：Qǐng kàn qiáng shàng.

　A：请 看 墙 上。

五、请根据课文内容回答下列问题。

Answer the following questions by using the information given in the text.

1. Màikè qù yínháng zuò shénme?
   麦克 去 银行 做 什么？

2. Màikè yào huàn duōshao qián?
   麦克 要 换 多少 钱？

3. Cún qián hé qǔ qián de dānzi jiào shénme?
   存 钱 和 取 钱 的 单子 叫 什么？

4. Màikè xiǎng zhīdào jīntiān yì měiyuán kěyǐ
   麦克 想 知道 今天 一 美元 可以
   huàn duōshao rénmínbì, tā zěnme wèn
   换 多少 人民币， 他 怎么 问
   gōngzuò rényuán?
   工作 人员？

5. Cún qián hòu, gōngzuò rényuán gěile Màikè shénme?
   存 钱 后， 工作 人员 给了 麦克 什么？

六、下面的情景你知道该怎么说吗？请试一试。

Try to express yourself in the following situations.

1. 你去银行存钱，不知道填哪种单子，你问工作人员。
   You want to deposit your money, but don't know what form you should fill in, so you ask the bank clerk for help.

2. 你去银行换钱，你想知道今天100美元可以换多少人民币，你问工作人员。
   You want to change U.S.dollars for RMB, but don't know the exchange rate of the day, so you ask the bank clerk for information.

3. 你有一张旅行支票，要换人民币，你问工作人员怎么办手续。
   You ask a bank clerk about the formalities for cashing a traveller's cheque for RMB.

4. 你去银行取钱，用中文怎么说？
   What's the Chinese for "drawing money from my bank account"?

七、汉字点击。

Open the CD to view the characters.

　　请通过光盘点击认读、书写下面的汉字。请注意汉字书写时的笔顺。

　　Open the CD to view and write the characters with special attention to their stroke-order.

存　换　支　护　填　单　民　币　美　其　取　款　蓝
输　入　密　遍　汇　墙　折　千　百　十　五　数　兑

文化点击　Cultural Points

中国的人民币

中国的钱叫人民币，用RMB表示。人民币有三个单位，它们是：元（口语用"块"）、角（口语用"毛"）、分。三者的关系是：一元＝10角＝100分。人民币的面值一共有13种：100元、50元、20元、10元、5元、2元、1元、5角、2角、一角、5分、2分、1分。硬币有1元、5角、1角、5分、2分、1分。目前人民币仅限于在中国国内流通。

Chinese People's Currency (Renminbi)

Chinese currency abbreviated to RMB has three basic monetary units of yuan (or kuai in spoken Chinese), jiao (or mao) and fen. One yuan is divided into 10 jiao ,and further divided into 100 fen. There are thirteen types of bank notes with different face value of 100 yuan, 50 yuan, 20 yuan, 10 yuan, 5 yuan , 2 yuan, 1 yuan, 5 jiao, 2 jiao, 1 jiao, 5 fen, 2 fen and 1 fen. Metal coins vary from 1 yuan, 5 jiao, 1 jiao, 5 fen, 2 fen to 1 fen. At present the RMB is only in circulation within China.

Dì-jiǔ kè　　Wǒ xiǎng zū fáng
第 9 课　　我 想 租 房
Lesson 9　　I Want to Rent a Room

导学　Guiding Remarks

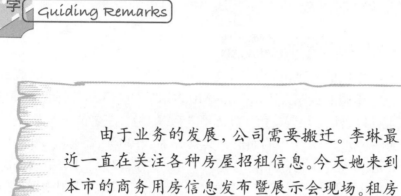

由于业务的发展，公司需要搬迁。李琳最近一直在关注各种房屋招租信息。今天她来到本市的商务用房信息发布暨展示会现场。租房子要考虑哪些问题？听听李琳的想法吧，这或许对你有用处。

The company is going to move due to the development of business. Li Lin has been following rental advertisements with great interest. Today she comes to a commercial office-rental promotional show and briefing. What should one take into consideration when planning to rent office space? Listen to Li and consider what might be useful for you.

课文　Text

A

在房屋中介公司。
At a house renting agency.

Gōngzuò rényuán:　　　　　Xiǎojiě nǐ hǎo, xiǎng zū fáng ma?
工作 人员：(热情地) 小姐 你 好， 想 租 房 吗？
Clerk：(Warmly) Hi, Miss. Can I help you?

Lǐ Lín：Shì de!
李 琳：是 的！
Li Lin：Yes, please.

Gōngzuò rényuán: Xiǎng zū shénme yàng de fángzi? Shì bàngōng háishi jūzhù?
工作 人员：想 租 什么 样 的 房子？ 是 办公 还是 居住？
Clerk：What kind of house are you after? An office or flat?

Lǐ Lín：Bàngōng.
李 琳：办公。
Li Lin：An office.

Gōngzuò rényuán: Yào zū duō dà de?
工作 人员：要 租 多 大 的？
Clerk：What size?

Lǐ Lín：Sān-sìbǎi píngmǐ ba.
李 琳：三四百 平米 吧。
Li Lin：300-400 square metres.

Gōngzuò rényuán:　　　　　Zhè shì jièshào cáiliào, qǐng xiān kàn yíxià.
工作 人员：(递给李琳)这 是 介绍 材料， 请 先 看 一下。
Clerk：(Handing over a booklet) Please have a look at these introductory
materials first.

Lǐ Lín：　　　　Hǎo de. Fángzū zěnme suàn?
李 琳：(拿材料)好 的。 房租 怎么 算？
Li Lin：(Getting it) Thank you. What is the rent paid by?

101

Gōngzuò rényuán：Měi píngfāngmǐ liù yuán. Yào yùfù liù gè yuè.

工作 人员：每　平方米　六　元。要预付六个月。

Clerk：Six yuan per square metre. Six month's rent to be paid in advance.

Lǐ Lín：　　　　Bāokuò shuǐ-diànfèi ma?

李 琳：(皱了一眉头)包括　　水电费 吗?

Li Lin：(Frowning) Are charges for water and electricity included?

Gōngzuò rényuán：Bù bāokuò.

工作 人员：不 包括。

Clerk：No.

Lǐ Lín：Yǒu diǎnr guì.

李 琳：有 点儿 贵。

Li Lin：That's a bit expensive.

Gōngzuò rényuán：Nǐ yào zū duō cháng shíjiān?

工作 人员：你 要 租 多 长 时间?

Clerk：For how long are you going to rent it?

Lǐ Lín：Zhìshǎo liǎng nián.

李 琳：至少　 两　年。

Li Lin：No less than two years.

Gōngzuò rényuán：Xiǎojiě, nǐ xiān kàn fángzi ba.

工作 人员：小姐，你 先 看 房子 吧。

Clerk：What about having a look at the office first?

Lǐ Lín：Hǎo ba.

李 琳：好 吧。

Li Lin：O. K..

102

B

李琳在一家商务大厦 10 层看房子。
Li Lin is looking round the rooms on the tenth floor in an office building.

Gōngzuò rényuán：Wǒ dài nín kànkan.
工作 人员：我 带 您 看看。
　　　Clerk：Let me show you around.

Lǐ Lín：Hǎo de. Xièxie.
李 琳：好 的。谢谢。
　　Li Lin：Great! Thank you.

Gōngzuò rényuán：　　　　Zhè shì dà tīng.
工作 人员：(走在前边)这 是 大 厅。
　　　Clerk：(Leading the way) This is a hall.

Lǐ Lín：Zhège tīng yǒu duō dà?
李 琳：这个 厅 有 多 大?
　　Li Lin：What is its size?

Gōngzuò rényuán：Liǎngbǎi píngmǐ zuǒyòu.
工作 人员：两百 平米 左右。
Kōngtiáo、 diànhuà、 wǎngxiàn dōu yǒu.
空调、 电话、 网线 都 有。
　　　Clerk：About 200 square metres. Air conditioners, telephones
　　　　　 and internet lines are available.

Lǐ Lín：Ō!
李 琳：噢。
　　Li Lin：I see.

Gōngzuò rényuán：Zhèbiān yǒu liǎng gè dà fángjiān,
工作 人员：这边 有 两 个 大 房间,
kěyǐ zuò huìyìshì hé huìkèshì.
可以 作 会议室 和 会客室。
　　　Clerk：On this side there are two big rooms that can be used
　　　　　 as a meeting room and a reception room.

103

Lǐ Lín：　　　　Zhège fángjiān bú dà a.
李 琳：(看大房间)这个　房间　不大啊。
Li Lin：(Going into the big room) But it's not very big.

Gōngzuò rényuán：Nǐmen gōngsī yǒu duōshao rén?
工作 人员：你们　公司　有　多少　人？
Clerk：How many members are there in your company?

Lǐ Lín：Shíjǐ gè.
李 琳：十几个。
Li Lin：Ten odd people.

Gōngzuò rényuán：Gòu yòng le. Zhèbiān hái yǒu yí gè xiǎo yì diǎnr de fángjiān.
工作 人员：够　用了。这边　还有一个小一点儿的　房间。
Clerk：That's enough. Here is a smaller room.

Lǐ Lín：Wèishēngjiān zài nǎr?
李 琳：卫生间　　在哪儿？
Li Lin：Where is the toilet?

Gōngzuò rényuán：　　　Zài nàbiān.
工作 人员：(指着)在　那边。
Clerk：(Pointing) Over there.

104

词 语 *Word List*

1. 租	zū	（动）	to rent	(v.)
2. 房子	fángzi	（名）	house	(v.)
3. 办公	bàngōng	（动）	to work in an office	(v.)
4. 居住	jūzhù	（动）	to live	(v.)
5. 多大	duō dà		how big	
6. 平米	píngmǐ	（量）	square metre	(mw.)
7. 介绍	jièshào	（动）	to introduce	(v.)
8. 材料	cáiliào	（名）	material	(n.)
9. 房租	fángzū	（名）	rent paid for a room/house	(n.)
10. 算	suàn	（动）	to calculate	(v.)
11. 平方米	píngfāngmǐ	（量）	square metre	(mw.)
12. 预付	yùfù	（动）	to pay in advance	(v.)
13. 包括	bāokuò	（动）	to include	(n.)
14. 水电费	shuǐ-diànfèi	（名）	charges for water and electricity	(n.)
15. 多长	duō cháng		how long	
16. 至少	zhìshǎo	（副）	at least	(adv.)
17. 两	liǎng	（数）	two	(num.)
18. 左右	zuǒyòu	（名）	about	(n.)
19. 空调	kōngtiáo	（名）	air conditioner	(n.)
20. 网线	wǎngxiàn	（名）	net cable	(n.)
21. 作	zuò	（动）	to be used as	(v.)
22. 会议室	huìyìshì	（名）	meeting room	(n.)
23. 会客室	huìkèshì	（名）	reception room	(n.)
24. 够	gòu	（副）	enough	(adv.)
25. 卫生间	wèishēngjiān	（名）	toilet	(n.)

商务汉语入门
....

1. "是办公还是居住"

"Shì bàngōng háishi jūzhù"

这种问句叫选择问句。它是把两种或几种可能用"是……还是……还是"连接起来，答话人应选择一种作为答案。例如：你是去还是不去？---- 回答"去"或"不去"、你是喝葡萄酒还是啤酒？----- 回答"喝葡萄酒"或"喝啤酒"、你是去北京，还是去上海？---- 回答"去北京"或"去上海"。是办公还是居住？---- 回答可以是"居住"也可以是"办公"。

This is an alternative question with "shì……háishi……" indicating two or more than two possibilities for one to choose from. E.g.. The answer to "nǐ shì qù háishi bú qù" is "qù" or "bú qù"; to "nǐ shì hē pútáojiǔ háishi píjiǔ?" is "hē pútáojiǔ" or "píjiǔ"; to "nǐ shì qù Běijīng háishi qù Shànghǎi?" is "qù Běijīng" or "qù Shànghǎi"; to "shì bàngōng háishi jūzhù?" is "jūzhù" or "bàngōng".

2. "有点儿贵"

"Yǒu diǎnr guì"

"有点儿贵"的意思是李琳认为房租的价格超过了她能接受的标准。"有点儿+形容词/动词"，多用于不如意的事情。例如：房间有点儿脏、他有点儿胖、我有点儿生气。

It means "a bit expensive".The structure of "yǒu diǎnr + adjective / verb" is often used to express one's unhappiness about something. E.g.."fángjiān yǒu diǎnr zāng", "tā yǒu diǎnr pàng" and "wǒ yǒu diǎnr shēngqì".

3. "有多大"

"Yǒu duō dà"

这个句子中的"有"是达到的意思。再如：他有多高？你有多重？那条河有多深？

Here "yǒu" expresses the extent or quantity that something has reached.E.g.."Tā yǒu duō gāo?" "Nǐ yǒu duō zhòng?" "Nà tiáo hé yǒu duō shēn?"

4. "两百平米左右"

"Liǎngbǎi píngmǐ zuǒyòu"

句中的"左右"表示与实际数值相去不远。可略多，也可略少。例如：40岁左右、一年左右、15个左右、12点左右、120（个）人左右。"左右"要与数量短语一起用，位于数量短语之后。表示时间概数时，只能用于用数量词表示的时间词语后，不能用在时间名词之后。例如不能说"春节左右""天亮左右"。

It means "about 200 square metres". Similar expressions are "40 suì zuǒyòu","yì nián zuǒyòu", "15 gè zuǒyòu", "12 diǎn zuǒyòu", "120 (gè) rén zuǒyòu".

"zuǒyòu" never goes after a nominal phrase, but only goes after a numeral-measure word group. Therefore it is wrong to say "Chūn Jié zuǒyòu" or "tiān liàng zuǒyòu".

练 习　　　　　Exercises

一、跟读并辨别下面音节。

Read the following syllables after the tape and distinguish one from another.

zhùfáng–chúfáng

fángzi–pàngzi

cáiliào–zīliào

yùfù–yùdìng

二、听录音并熟读下面的句子。

Listen to the recording and read the following sentences until you are fluent.

1. Xiǎng zū fáng ma?
   想　租　房　吗?

2. Xiǎng zū shénmeyàng de fángzi?
   想　租　什么样　　的　房子?

3. Shì bàngōng háishi jūzhù?
   是　　办公　还是 居住?

4. Yào zū duō dà de?
   要　租　多 大 的?

5. Fángzū zěnme suàn?
   房租　　怎么 算?

6. Měi píngmǐ liù yuán. Yào yùfù liù gè yuè.
   每　平米　六　元。 要 预付六个月。

7. Yào zū duō cháng shíjiān?
   要　租　多　长　时间?

8. Zhè shì dà tīng.
   这　是　大　厅。

107

9. Zhè gè tīng yǒu duō dà?
   这 个 厅 有 多 大?

10. Liǎngbǎi píngmǐ zuǒyòu, kōngtiáo、 diànhuà、
    两百 平米 左右, 空调、 电话、
    wǎngxiàn dōu yǒu.
    网线 都 有。

11. Zhèbiān yǒu liǎng gè dà fángjiān, kěyǐ zuò huìyìshì
    这边 有 两 个 大 房间, 可以 作 会议室
    hé huìkèshì.
    和 会客室。

12. Wèishēngjiān zài nǎr?
    卫生间 在 哪儿?

三、请让我们一起再学习几个常用的词语，然后做练习。

Let's learn some more commonly used words before we do the exercises.

补充词语　Supplementary Words

客厅	kètīng	（名）	sitting room	(n.)
厨房	chúfáng	（名）	kitchen	(n.)
卧室	wòshì	（名）	bedroom	(n.)
定金	dìngjīn	（名）	deposit	(n.)
半年	bàn nián	（名）	six months	(n.)
设备	shèbèi	（名）	equipment	(n.)

选择填空　Fill in the Blanks with Appropriate Words

zū fáng（租房）	jūzhù（居住）
duō dà（多大）	chúfáng（厨房）
kètīng（客厅）	wòshì（卧室）
fángzū（房租）	dìngjīn（定金）
bàngōng（办公）	duō cháng shíjiān（多长时间）
píngmǐ（平米）	kōngtiáo（空调）
wǎngxiàn（网线）	dà tīng（大厅）
fángjiān（房间）	huìkèshì（会客室）

1. A：Nǐ hǎo, xiǎng _____ ma?
   A：你好，想 _____ 吗？

   B：Shì de, zū fáng.
   B：是的，租房。

   A：Shì bàngōng háishi
   A：是 办公 还是 _____？

   B：Jūzhù.
   B：居住。

   A：Qǐng lái zhèbiān kànkan.
   A：请 来 这边 看看。

   B：Hǎo de.
   B：好的。

2. A：Zhè tào fángzi yǒu
   A：这 套 房子 有 _____？

   B：Yìbǎi wǔshí píngmǐ.
   B：一百 五十 平米。

   A：Qǐng dài wǒ kànkan.
   A：请 带 我 看看。

   B：Hǎo de. Zhè shì   zhè shì   nà shì
   B：好 的。 这是_____，这是_____，那 是_____。

   A：Wèishēngjiān zài nǎr?
   A：卫生间 在 哪儿？

   B：Zài zhèbiān.
   B：在 这边。

   A：   yí gè yuè duōshǎo?
   A：_____ 一 个 月 多少？

   B：Liùqiān.
   B：六千。

   A：Yào yùfù   ma?
   A：要 预付 _____ 吗？

   B：Yào yùfù bàn nián dìngjīn.
   B：要 预付 半 年 定金。

3. A：Nín zū fángzi?
   A：您 租 房子？

   B：Duì.
   B：对。

A：Shì jūzhù háishi

A：是 居住 还是 ＿＿＿＿＿？

B：Bàngōng.

B：办公。

A：Yào zū

A：要 租＿＿＿＿＿？

B：Liǎng nián. Měi　　duōshao qián?

B：两 年。每＿＿＿＿多少 钱?

A：Qī kuài.

A：七 块。

B：Fángjiān lǐ yǒu shénme shèbèi?

B：房间 里 有 什么 设备?

B：　　diànhuà　　dōu yǒu.

A：＿＿＿＿、电话、＿＿＿＿＿ 都 有。

4. A：Xiānsheng, wǒ gěi nín jièshào yíxià.

A：先生， 我 给 您 介绍 一下。

B：Hǎo de.

B：好 的。

A：Zhè shì

A：这 是 ＿＿＿＿＿。

B：Yǒu

B：有 ＿＿＿＿＿?

A：èrbǎi píngmǐ zuǒyòu. Zhè shì liǎng gè dà　　kěyǐ

A：二百 平米 左右。这 是 两 个 大＿＿＿＿，可以
zuò bàngōngshì hé

　　作 办公室 和＿＿＿＿。

B：Wèishēngjiān zài nǎr?

B：卫生间 在 哪儿?

A：Zài nàbiān.

A：在 那边。

四、完成下列对话。

Complete the following dialogues.

1. A：Xiānsheng , nǐ hǎo.

A：先生， 你 好。

110

B：Nǐ hǎo.

B：你 好。

A：Xiǎng

A：想 _____?

B：Shì de.

B：是 的。

A：Bàngōng háishi

A：办公 还是 _____?

B：Jūzhù.

B：居住。

A：Qǐng zhèbiān kànkan ba.

A：请 这边 看看 吧。

2. A：Nǐ hǎo, huānyíng guānglín. Kànkan fánzi?

A：你 好， 欢迎 光临。 看看 房子?

B：Duì.

B：对。

A：　　　　　háishi

A：_____ 还是 _____?

B：Bàngōng.

B：办公。

A：Xiǎng de?

A：想 _____ 的?

B：Wǔbǎi píngmǐ zuǒyòu.

B：五百 平米 左右。

A：Yào

A：要 _____?

B：Sān nián ba. Fángzū zěnme suàn?

B：三 年 吧。 房租 怎么 算?

A：Qǐng dào huìyìshì tántan ba.

A：请 到 会客室 谈谈 吧。

B：Hǎo.

B：好。

3. A：Nǐ hǎo, xiǎojiě. Xiǎng zū fángzi?

A：你 好， 小姐。 想 租 房子?

B：Shì de.

B：是 的。

A：Wǒ dài nǐ kànkan. Zhè shì chúfáng, zhè shì

A：我 带 你 看看。 这 是 厨房， 这 是 _____，

zhè shì   nàbiān shì

这 是 _____，那边 是 _____。

B：Kètīng

B：客厅 _____？

A：Èrshí píngmǐ zuǒyòu.

A：二十 平米 左右。

B：Fángzū shì

B：房租 是 _____？

A：Měi gè yuè sìqiān.

A：每 个 月 四千。

B：Yào   ma?

B：要 _____ 吗？

A：Yào. Xiān fù bàn nián.

A：要。 先 付 半 年。

B：Hǎo, wǒ kǎolǜ yíxià.

B：好， 我 考虑 一下。

五、请根据课文内容回答下列问题。

Answer the following questions by using the information given in the text.

1. Lǐ Lín yào zū shénme yàng de fángzi?
   李 琳 要 租 什么 样 的 房子？

2. Tā yào zū duō dà de?
   她 要 租 多 大 的？

3. Fángzū zěnme suàn?
   房租 怎么 算？

4. Lǐ Lín yào zū duō cháng shíjiān?
   李 琳 要 租 多 长 时间？

5. Nàge dà tīng lǐ yǒu shénme shèbèi?
   那个 大 厅 里 有 什么 设备？

6. Wèishēngjiān zài nǎr?
   卫生间 在 哪儿？

六、下面的情景你知道该怎么说吗？请试一试。

Try to express yourself in the following situations.

1. 你看好了一套家居用房,你向房产中介公司的工作人员询问每个月要付多少钱。

   You ask the house agent about the monthly rent for the flat that you have chosen.

2. 在一幢住宅楼里,你逐一询问每个房间的位置和情况。

   You ask about the direction and conditions of each room in a residential building.

3. 在一幢商用大楼里,你想知道大厅的面积和设备,你问工作人员。

   You ask the clerk about the size and equipment of the hall in a commercial centre.

4. 在某大楼的17层参观后,你没看见卫生间,你问工作人员在哪儿。

   You ask the clerk about the toilet that you didn't find on the 17th floor of a building.

七、汉字点击。

Open the CD to view the characters.

请通过光盘点击认读、书写下面的汉字。请注意汉字书写时的笔顺。

Open the CD to view and write the characters with special attention to their stroke-order.

租 居 住 米 介 绍 材 算 付 括 费
长 右 两 调 网 线 做 议 够 卫

文化点击 Cultural Points

中国人的地点与地址的表达方式

中国人是按照从大到小的顺序来表示地点、地址的,基本表达顺序是：国别—省、市—区、县—街道—门牌号码—建筑—房间号—单位名称—部门。如：

中国北京市东城区王府井大街2号华侨大厦509室华大公司销售部。

Expressing Locality and Addresses in Chinese

Chinese expressions of locality and addresses are generally arranged in a descending order:country−province/city−prefecture/county−street−house number−building−room number−unit−department. E.g.. Zhōngguó Běijīng Shì Dōngchéng Qū Wángfǔjǐng Dàjiē 2 hào Huáqiáo Dàshà 509 shì Huádà Gōngsī xiāoshòubù.

113

Dì-shí kè Yǒu diǎnr zāng
第10课　有点儿脏
Lesson 10　It's a Bit Dirty

导学 Guiding Remarks

办公室的日常事务有许多种，你会用汉语说吗？听听他们是怎么说的。

There are many kinds of daily duties in an office. Do you know the Chinese for them? Why not learn from Li Lin and her colleagues if you don't.

课 文　Text

A

明天有客人要来公司，李琳在给保洁员布置工作。

Li Lin gives cleaners instructions about their assignments for welcoming visitors the next day.

Lǐ Lín：　　　　　　Nǐ lái yíxià.
李 琳：(对保洁员)你 来 一下。
Li Lin：(To a cleaner) Come here, please.

Bǎojiéyuán：Hǎo.
保洁员：好。(保洁员过来)
Cleaner：Yes. (She comes over.)

Lǐ Lín：Xǐshǒujiān de shuǐlóngtóu huài le, ràng rén xiūlǐ yíxià.
李 琳：洗手间　的　水龙头　坏　了，让 人 修理 一下。
Li Lin：The tap in the toilet is out of order. Please get it fixed.

Bǎojiéyuán：Yǐjing gěi wùyè dǎguo diànhuà le.
保洁员：已经　给 物业 打过　电话　了。
Cleaner：I have told the estate company about it by phone.

在会客室。

In the reception room.

李 琳：(对保洁员)把 这些 材料 放 在 桌子 上。
Lǐ Lín：Bǎ zhèxiē cáiliào fàng zài zhuōzi shàng.
Li Lin：(To the cleaner) Put these files on the table.

保洁员：放 这儿 行 吗？
Bǎojiéyuán：Fàng zhèr xíng ma?
Cleaner：Is here O.K.?

李 琳：行。 桌子 有 点儿 脏，先 擦 一下。
Lǐ Lín：Xíng. Zhuōzi yǒu diǎnr zāng. xiān cā yíxià.
把 房间 打扫 干净。
Bǎ fángjiān dǎsǎo gānjìng.
Li Lin：O.K.. The table is a bit dirty, clean it first, and then clean the room.

保洁员：好。
Bǎojiéyuán：Hǎo.
Cleaner：Yes, Miss.

B

下午客人要来，李琳和小白在布置会客室。物业公司来收费。

Li Lin and Xiao Bai are busily making arrangements for the visitors who will come in the afternoon. A man from the estate company comes to collect rent.

李 琳：(对小白)把 这些 东西 整理 一下。
Lǐ Lín：Bǎ zhèxiē dōngxi zhěnglǐ yíxià.
Li Lin：(To Xiao Bai) Straighten out these things, will you?

小 白：(整理)好。
Xiǎo Bái：Hǎo.
Xiao Bai：(Rearranging)Yes, I will.

小 白：(环顾)屋子 不 太 漂亮， 再 布置 一下。
Xiǎo Bái：Wūzi bú tài piàoliang, zài bùzhì yíxià.
Xiao Bai：(Looking round) This room doesn't look nice. It needs to be done up a bit.

小白摆花。物业公司的人在门口叫李琳。

Xiao Bai is arranging some flowers. A man from the estate company is calling Li Lin.

Láirén：Lǐ Lín, wǒ lái shōu fèi.
来人：李琳，我来收费。
　　　Man：Li Lin, I've come to collect the rent.

Lǐ Lín：Gěi wǒ kàn yíxià dānzi.
李琳：给我看一下单子。
　　　Li Lin：Please give me the bill.

Láirén：　　　　　　　Zhè shì shuǐ-diànfèi.
来人：(拿出一张粉色的单子)这是水电费。
　　　　　　　　　　　　Zhè shì diànhuàfèi.
(又拿出一张蓝色的单子)这是电话费。
　　　　　　　　Zhè shì fángzū. Zhè shì wùyè guǎnlǐfèi.
(又抽出一张黄色的单子)这是房租。这是物业管理费。
　　　Man：(Taking out a pink bill) This is the bill for water and electricity; (Taking out a blue bill) Another bill for telephone; (Taking out a yellow bill) One more for the rent, and the last one for the service fees.

Lǐ Lín：　　　Yígòng wǔqiān líng bāshíliù?
李琳：(看单据)一共五千零八十六?
　　　Li Lin：(Looking at them) That's 5,086 yuan altogether?

Láirén：Duì.
来人：对。
　　　Man：Yes, you are right.

Lǐ Lín：Xiànzài néng jiāo ma?
李琳：现在能交吗?
　　　Li Lin：Shall I pay you now?

Láirén：Kěyǐ.
来人：可以。
　　　Man：Yes, you can.

词语　Word List

1.	水龙头	shuǐlóngtóu	（名）	tap	*(n.)*
2.	坏	huài	（形）	bad	*(adj.)*
3.	修理	xiūlǐ	（动）	to repair	*(v.)*
4.	物业	wùyè	（名）	estate	*(n.)*
5.	过	guo	（助）		*(aux.)*
6.	把	bǎ	（介）		*(prep.)*
7.	放	fàng	（动）	to put	*(v.)*
8.	桌子	zhuōzi	（名）	table	*(n.)*
9.	脏	zāng	（形）	dirty	*(adj.)*
10.	擦	cā	（动）	to rub	*(v.)*
11.	干净	gānjìng	（形）	clean	*(adj.)*
12.	东西	dōngxi	（名）	thing	*(n.)*
13.	整理	zhěnglǐ	（动）	to put in order	*(v.)*
14.	屋子	wūzi	（名）	room	*(n.)*
15.	布置	bùzhì	（动）	to fix up	*(v.)*
16.	收费	shōu fèi	（动）	to collect fees	*(v.)*
17.	费	fèi	（名）	charge, fee	*(n.)*
18.	管理	guǎnlǐ	（动）	to manage	*(v.)*

语言点链接　Language Points

1. 把这些材料放在桌子上 / 把房间打扫干净 / 把这些东西整理一下

Bǎ zhèxiē cáiliào fàngzài zhuōzi shàng/bǎ fángjiān dǎsǎo gānjìng/bǎ zhèxiē dōngxi zhěnglǐ yíxià

第一个句子的意思是通过"放"这个动作，材料的位置从别的地方转移到桌子上了。第二个句子的意思是通过"打扫"这个动作房间变干净了。第三个句子的意思是动作"整理"和"这些东西"通过动作的数量发生联系。

这三个句子叫"把"字句。"把"字句的基本句型是"把＋名词＋动词＋其他成分"。"把"字句是汉语的一种特殊句式，总是用于由于某种原因而需要执行某种特定的动作行为，以达到一定的目的(事物发生位置移动、关系转移或发生某种变化、产生某种结果)的语境中。前边这三个句子出现的语境是客人要来公司。可以把这三个句子分析为：客人要来(原因)+ "把"字句＋整洁的环境对客人有礼貌(目的)。再如：不要忘了电话号码，把它记在本子上。刘经理要看样品，把样品寄到广州吧。明天我要去上海，把文件给我整理好。客人要来，把会客室布置得漂亮一点儿。请把桌子擦一擦，有点儿脏。办公室有点儿乱，把东西整理一下。

The first sentence indicates that the files are to be placed onto the table through an act expressed by the verb after "bǎ".The second sentence describes how the room is to be swept clean after being swept.The third sentence suggests that things are put in order.

The above three sentences are known as sentences with bǎ. Their basic pattern is "bǎ+ noun + verb + other elements". Such special Chinese sentences are generally employed to describe how things are disposed of (movement of position, change of state or outcome of an action). The quoted sentences here are given in such a context: the visitors'arrival (reason) and the politeness shown to them by arrangement of things in order (result). The following are some more sentences of the type:"Bú yào wàngle diànhuà hàomǎ, bǎ tā jì zài běnzi shāng. Liú jīnglǐ yào kān yàngpǐn, bǎ yàngpǐn jìdào Guǎngzhōu ba. Míngtiān wǒ yào qù Shànghǎi, bǎ wénjiàn gěi wǒ zhěnglǐ hǎo. Kèrén yào lái, bǎ huìkèshì bùzhì de piǎoliang yì diǎnr. Qǐng bǎ zhuōzi cā yì cā, yǒu diǎnr zāng. Bàngōngshì yǒu diǎnr luàn, bǎ dōngxi zhěnglǐ yíxià."

2."打过电话"

"Dǎguo diànhuà"

这个句子的意思是在和李琳谈话以前，打电话这件事保洁员已经做了。汉语的动态助词"过"表示过去的经验或经历。"动词＋过"表示"过"前边的动词所表示的动作或情况在过去的时间里已经发生。再如：刘经理来过公司、他看过京剧、我用过这种化妆品、客人参观过工厂了。否定形式是："没(有)"＋动词＋"过"。前边几个句子的否定形式依次是：保洁员没打过电话、刘经理没来过公司、他没看过京剧、我没用过这种化妆品、客人没参观过工厂。

This means "I have phoned them about it". "guò" here is an aspectual particle, indicating one's experience. The pattern "verb + guò" denotes that an action or state before "guò" has taken place or come about. E.g.."Liú jīnglǐ láiguò gōngsī", "Tā kànguò Jīngjù", "Wǒ yòngguò zhè zhǒng huàzhuāngpǐn", "Kèrén cānguānguò gōngchǎng le". The negative form of such a sentence is "méi (yǒu) + verb + guò", accordingly, the negative forms of the preceding sentences are "Bǎojiéyuán méi dǎguò diànhuà", "Liú jīnglǐ méi láiguò gōngsī", "Tā méi kànguò Jīngjù", "Wǒ méi yòngguò zhè zhǒng huàzhuāngpǐn", "Kèrén méi cānguān guò gōngchǎng".

3.东西

Dōngxi

泛指各种具体或抽象的事物。本课指办公室的物品。

It means things in general. In this text it refers to office articles.

119

一、跟读并辨别下面音节。

Read the following syllables after the tape and distinguish one from another.

huài–guāi

xiūlǐ–guǎnlǐ

dǎsǎo–sǎsǎo

dōngxī–dōngxi

wūzi–kùzi

二、听录音并熟读下面的句子。

Listen to the recording and read the following sentences until you are fluent.

1. Xǐshǒujiān de shuǐlóngtóu huài le,
   洗手间 的 水龙头 坏了,
   ràng rén xiūlǐ yíxià.
   让 人 修理 一下。

2. Bǎ zhèxiē cáiliào fàng zài zhuōzi shàng.
   把 这些 材料 放 在 桌子 上。

3. Fàng zhèr xíng ma?
   放 这儿 行 吗?

4. Zhuōzi yǒu diǎnr zāng, xiān cā yíxià,
   桌子 有 点儿 脏, 先 擦一下,
   bǎ fángjiān dǎsǎo gānjìng.
   把 房间 打扫 干净。

5. Bǎ zhèxiē dōngxi zhěnglǐ yíxià.
   把 这些 东西 整理 一下。

6. Wūzi bú tài piàoliang, zài bùzhì yíxià.
   屋子 不 太 漂亮, 再 布置 一下。

7. Xiànzài néng jiāo shuǐ-diànfèi ma?
   现在 能 交 水电费 吗?

三、请让我们一起再学习几个常用的词语，然后做练习。

Let's learn some more commonly used words before we do the exercises.

补充词语　Supplementary Words

阿姨	āyí	（名）	auntie, baby care-taker	(n.)
收拾	shōushi	（动）	to rearrange things in order	(v.)
孩子	háizi	（名）	child	(n.)
开会	kāi huì	（动）	to attend a meeting	(v.)
挪	nuó	（动）	to remove	(v.)
摆	bǎi	（动）	to put	(v.)

选择填空　Fill in the Blanks with Appropriate Words

bǎ（把）　　　　xǐ（洗）

zhěnglǐ（整理）　nuó（挪）

shōushi（收拾）　dì（地）

dǎsǎo（打扫）　bùzhì（布置）

yíxià（一下）

1. A：Āyí,＿＿＿＿zhè jiàn yīfu＿＿＿＿yíxià.

　　A：阿姨，＿＿＿＿这 件 衣服＿＿＿＿一下。

　　B：āi

　　B：哎。

　　A：Zǎo diǎnr qù jiē háizi.

　　A：早 点儿 去 接 孩子。

　　B：Hǎo de.

　　B：好 的。

2. A：Xiǎo Bái, nǐ lái yíxià.

　　A：小 白，你 来 一下。

　　B：Hǎo.

　　B：好。

　　A：Míngtiān Màizǒng qù kāi huì,＿＿＿＿zhèxiē

　　A：明天 麦总 去 开会，＿＿＿＿这些

　　　　cáiliào＿＿＿＿yíxià.

　　　　材料 ＿＿＿＿一下。

　　B：Hǎo de, wǒ mǎshàng

　　B：好 的，我 马上 ＿＿＿＿。

121

3. A：Zhèxiē fàng zài nǎr?

A：这些　放　在　哪儿？

B：Fàng zhèr ba.

B：放　这儿　吧。

A：＿＿＿＿＿ zhège wǎng nàbiān ＿＿＿＿＿ yì diǎnr?

A：＿＿＿＿＿这个　往　那边＿＿＿＿＿一点儿？

B：Duì, zài ＿＿＿＿＿ zhèr ＿＿＿＿＿ gānjìng.

B：对，再＿＿＿＿＿这儿＿＿＿＿＿干净。

4. A：Jīntiān zuò shénme?

A：今天　做　什么？

B：Bǎ ＿＿＿＿＿ cā ＿＿＿＿＿, bǎ chúfáng ＿＿＿＿＿ gānjìng.

B：把＿＿＿＿＿擦＿＿＿＿＿，把　厨房＿＿＿＿＿干净。

A：Hǎo de.

A：好　的。

B：Duì le, bǎ kètīng ＿＿＿＿＿ piàoliang yì diǎnr,

B：对　了，把　客厅＿＿＿＿＿漂亮　一　点儿，

wǎnshang yǒu kèrén.

晚上　有　客人。

四、完成下列对话。

Complete the following dialogues.

1. A：Wǒ míngtiān qù Shànghǎi.

A：我　明天　去　上海。

B：Shì ma?

B：是　吗？

A：＿＿＿＿＿ wǒ de yīfu ＿＿＿＿＿ yíxià.

A：＿＿＿＿＿我　的　衣服＿＿＿＿＿一下。

B：Hái yào shénme?

B：还　要　什么？

A：Bú yào le. Duìle, ＿＿＿＿＿ wǒ de shǒujīfèi ＿＿＿＿＿ le.

A：不　要　了。对了，＿＿＿＿＿我　的　手机费＿＿＿＿＿了。

2. A：Xiǎo Bái, bāngbang máng.

A：小　白，帮帮　忙。

B：Zuò shénme?

B：做　什么？

A：Bāng wǒ　　　　　zhèxiē cáiliào　　　　　hǎo,
A：帮　我＿＿＿＿这些　材料＿＿＿＿好，

　　wǒ xiàwǔ yào zǒu.
　　我　下午　要　走。

B：Hǎo de. Hái yǒu shénme shì?
B：好　的。还　有　什么　事?

A：Wǒ de diànnǎo huài le, jiào rén　　　　　yíxià. Xièxie.
A：我　的　电脑　坏　了，叫　人＿＿＿＿一下。谢谢。

B：Bú yòng xiè.
B：不　用　谢。

3. A：Wèishēngjiān de shuǐlóngtóu huàile, ràng rén　　　　　yíxià.
　　A：卫生间　　　的　水龙头　　坏了，让　人＿＿＿＿一下。

　　B：Hǎo de.
　　B：好　的。

　　A：Bǎ huìyìshì　　　　　yíxià. Dì yào cā gānjìng.
　　A：把　会议室＿＿＿＿一下。地　要　擦　干净。

　　B：Yídìng cā gānjìng.
　　B：一定　擦　干净。

4. A：Zhāng shīfu.
　　A：张　　师傅。

　　B：Shénme shì? Lǐ Lín.
　　B：什么　　事? 李　琳。

　　A：Wáng jīnglǐ zài Guìyǒu Bīnguǎn kāi huì,
　　A：王　　经理　在　贵友　宾馆　开　会，

　　　　zhèxiē cáiliào gěi tā　　　　　qù.
　　　　＿＿＿＿这些　材料　给　他＿＿＿＿去。

　　B：Hǎo de.
　　B：好　的。

　　A：　　　　　zhè fèn wénjiàn yě dàiqù.
　　A：＿＿＿＿这　份　文件　也　带去。

　　B：Dōu fàng zài zhèr ba.
　　B：都　　放　在　这儿吧。

123

五、请根据课文内容回答下列问题。

Answer the following questions by using the information given in the text.

1. Shénme dōngxi huài le? Zěnmebàn?

什么 东西 坏 了? 怎么办？

2. Lǐ Lín ràng bǎojiéyuán bǎ cáiliào fàng zài nǎr?

李 琳 让 保洁员 把 材料 放 在 哪儿？

3. Fángjiān gānjìng ma? Lǐ Lín ràng bǎojiéyuán zuò shénme?

房间 干净 吗？李 琳 让 保洁员 做 什么？

4. Lǐ Lín ràng Xiǎo Bái zuò shénme?

李 琳 让 小 白 做 什么？

5. Nàge rén lái zuò shénme?

那个 人 来 做 什么？

6. Xiànzài néng jiāo fèi ma?

现在 能 交 费 吗？

六、下面的情景你知道该怎么说吗？请试一试。

Try to express yourself in the following situations.

1. 你在某宾馆开会，急需一份文件，你给你的秘书打电话让她给你送去。

You ring your secretary, telling her to send you a document that you need urgently at a meeting you are attending.

2. 公司要来客人，你给保洁员布置会客室的清洁工作。

You give the cleaners instructions about tidying up the reception room to receive the coming visitors.

3. 物业公司通知你去付管理费，你问工作人员什么时候可以去付？

You ask a clerk of the estate company when you can go there to pay the service fees.

4. 你要去出差，你让你的妻子给你准备衣物。

You ask your wife to pack a case with clothes for your trip away.

七、汉字点击。

Open the CD to view the characters.

请通过光盘点击认读、书写下面的汉字。请注意汉字书写时的笔顺。

Open the CD to view and write the characters with special attention to their stroke-order.

笼　坏　修　理　物　业　把　桌　脏　擦
扫　净　西　整　屋　布　置　管　交

文化点击 Cultural Points

民居的方位和朝向

中国人比较讲究房屋的方位和朝向。在北方，东西走向，坐北朝南的房屋叫"正房"。正房一般是地位较高的人或长辈居住的地方。位于正房两侧的房屋叫东、西"厢房"，一般晚辈或地位较低的人住在厢房里。除了讲究房屋的方位和朝向，中国人还喜欢用围墙把自己家的房屋围起来，形成一个独立的院落，最典型的就是北京的四合院。

The Locality and Direction of Chinese Residential Houses

Chinese people attach great importance to the locality and direction of their houses. Those that face south are called principal rooms, customarily provided for senior members of the family or higher ranking people. The wings known as sided rooms are for the junior or inferior members of the family. Traditionally Chinese residential houses are often walled with a solitary courtyard in the centre. The quadrangles in Beijing are typical compound houses.

Dì-shíyī kè Jiǎnduǎn diǎnr
第 11 课 剪短 点儿
Lesson 11 Please Cut It Shorter

导学 Guiding Remarks

整洁的头发和着装是仪表、仪容的一个重要方面。它会使一个人看上去精神焕发、精明强干。去理发店理发是生活小事，关于理发你会用汉语表达吗？不会的话，就和麦克一起说吧。

Tidy hair and neat dress are important aspects of one's appearance and help to make one look vigorous and bright. Haircutting may be regarded as a trivial matter, but do you know how to express yourself in Chinese at a barber's shop? If you don't, why not follow Mike?

课文　Text

A

美国某公司代表团今天要来 BM 公司参观。看看李琳他们的仪容、仪表今天有什么变化？瞧，小王走了进来。

A group of American delegates is coming to visit BM Company. Does Li Lin look different today? Here comes Xiao Wang.

Xiǎo Bái:　　　Ō, Wáng jīnglǐ, xīn xīzhuāng a, zhēn shuài a.
小　白：(吃惊地)噢，王　经理，新　西装　啊，真　帅　啊。
　　　　　　　Shì míngpái ba?
　　　　　　是　名牌　吧？
Xiao Bai:　(surprised) Oh, Manager Wang, a new suit! You look smart!
　　　　　　It's a famous brand, I suppose?

Wáng Guāng:　　　Dāngrán le.
王　光：(故作得意)当然　了。
Wang Guang:　(Ostentatiously) It is!

李琳走了进来，她今天做了新的发型，看上去非常漂亮。
Li Lin comes in. Wearing a new hair style she looks very pretty.

Xiǎo Bái:　　　　Wā! Tóufa zhēn piàoliang.
小　白：(吃惊的样子)哇！头发　真　漂亮。
Xiao Bai:　(Looking surprised) Wow, what a beautiful hair style.

127

> 大家都抬头看李琳，李琳故意学模特的样子在屋里走了一圈。
> Everybody looks up at Li Lin who walks round like a model.

Dīng Guāng：Bú cuò. Hěn hǎokàn.
丁 光：不 错。很 好看。
Ding Guang：Jolly good. Very attractive.

Lǐ Lín：Shì ma? Xièxie!
李 琳：是 吗？谢谢！
Li Lin：Am I? Thank you!

Xiǎo Bái：Zài nǎr zuò de?
小 白：在 哪儿 做 的？
Xiao Bai：Where did you have your hair done?

Lǐ Lín：　　　　　Duìbuqǐ, xiǎojiě, zhè shì shāngyè mìmì.
李 琳：(故意拉长声调)对不起，小姐，这是 商业 秘密。
Li Lin：(Drawling) Sorry, Miss. That's a commercial secret.

Xiǎo Bái：　　　　Āiyā, zhùlǐ xiǎojiě, gàosu wǒ ma!
小 白：(假装着急)哎呀，助理 小姐，告诉 我 嘛！
Xiao Bai：(Pretending to be worried) Oh, Miss Assistant, do tell me please!

Lǐ Lín：　　Gàosu nǐ, zài yì jiā xīn kāizhāng de lǐfàdiàn.
李 琳：(笑)告诉 你，在 一家 新 开张 的 理发店。
Li Lin：(Smiling) Listen, it's a newly opened shop.

Xiǎo Bái：Zài nǎr?
小 白：在 哪儿？
Xiao Bai：Where?

Lǐ Lín：Hěn yuǎn. Búguò nàr de fúwù hěn hǎo.
李 琳：很 远。不过 那儿 的 服务 很 好。
Li Lin：Very far, but they serve you well.

Dīng Guāng：Jīntiān Lǐ xiǎojiě zhème piàoliang, shì bu shì yǒu yuēhuì ya?
丁 光：今天 李 小姐 这么 漂亮，是 不 是 有 约会 呀？
Ding Guang：Miss Li looks so pretty today. I wonder if you've got a date.

Lǐ Lín：　　　Bú shì, xiàwǔ péi Màizǒng qù shāngwùbù.

李 琳：(假装生气)不是，下午 陪　麦总 去　商务部。

Li Lin：(Pretending to be unhappy) No, but Maizong will take me to the
　　　　Ministry of Commerce this afternoon.

丁光做了一个鬼脸。

Ding makes grimaces

B

电话响了，麦克叫李琳去他的办公室。

The telephone rings. Mike calls her out.

Lǐ Lín：Màizǒng, shénme shì?

李 琳：麦总，　　什么　事?

Li Lin：Maizong, can I help you?

Màikè：　　　Wǒ yào……

麦克：(用手比划)我 要……

Mike：(With gestures) I want...

Lǐ Lín：Nín yào lǐ fà?

李 琳：您　要理发?

Li Lin：You want to have a haircut?

Màikè：Duì, lǐ fà. Tóufa yǒu diǎnr cháng le.

麦克：对，理发。头发 有 点儿　长　了。

Mike：Yes, a haircut. It's getting long.

Lǐ Lín：　　Yǒu gè dìfang, lǐ fà　lǐ de fēicháng hǎo.

李 琳：(笑)有 个　地方，理发理得 非常　好。

Li Lin：(Smiling) There's a barber's shop that does hair very well.

Màikè：　Shì ma?

麦克：(笑)是　吗?

Mike：(With a smile) Are you sure?

129

Lǐ Lín：Shì, nàr de fúwū hěn hǎo. Xǐ tóu、 lǐ fà dōu bú cuò.

李 琳：是，那儿的 服务 很 好。洗头、理发 都 不 错。

Li Lin：Yes, the service there is extremely good. The washing and cutting are both great.

Màikè： Wǒ zhǐ yào jiǎnduǎn diǎnr, bú yào nàme fùzá.

麦克：(摇头)我 只 要 剪短 点儿，不 要 那么 复杂。

Mike：(Shaking his head) I just want to have a trim. Not so complicated.

Lǐ Lín：Ràng Zhāng shīfu sòng nín qù ba.

李 琳：让 张 师傅 送 您 去 吧。

Li Lin：Let the driver take you there.

Màikè：Hǎo. Nàr kěyǐ yòng zìjǐ de xǐfàshuǐ ma?

麦克：好。那儿 可以 用 自己 的 洗发水 吗？

Mike：Great. By the way, can I use my own shampoo there?

Lǐ Lín：Dāngrán kěyǐ.

李 琳：当然 可以。

Li Lin：Surely you can.

130

词 语　　Word List

1.西装	xīzhuāng	（名）	Western-style clothes	(n.)
2.帅	shuài	（形）	smart	(adj.)
3.名牌	míngpái	（名）	famous brand	(n.)
4.当然	dāngrán	（副）	of course	(adv.)
5.哇	wā	（象声词）	wow, oh	(ono.)
6.头发	tóufa	（名）	hair	(n.)
7.好看	hǎokàn	（形）	good looking	(adj.)
8.做	zuò	（动）	to do	(v.)
9.商业	shāngyè	（名）	commerce	(n.)
10.秘密	mìmì	（名）	secret	(n.)
11.告诉	gàosu	（动）	to tell	(v.)
12.家	jiā	（量）		(mw.)
13.开张	kāizhāng	（动）	to open (of shops)	(v.)
14.理发店	lǐfàdiàn	（名）	barber's shop	(n.)
15.约会	yuēhuì	（动）	have an appointment /date	(v.)
16.陪	péi	（动）	to escort	(v.)
17.商务部	shāngwùbù	（名）	Commercial Department; Ministry of Commerce	(n.)
18.理发	lǐ fà		to have a haircut	
19.长	cháng	（形）	long	(adj.)
20.理	lǐ	（动）	to cut (one's hair)	(v.)
21.洗头	xǐ tóu		to wash one's hair	
22.只	zhǐ	（副）	only	(adv.)
23.剪	jiǎn	（动）	to cut with scissors	(v.)
24.短	duǎn	（形）	short	(adj.)
25.那么	nàme	（副）	so	(adv.)
26.复杂	fùzá	（形）	complicated	(adj.)
27.那儿	nàr	（代）	there	(pron.)
28.洗发水	xǐfàshuǐ	（名）	shampoo	(n.)

语言点链接 *Language Points*

1. "真帅啊"

"Zhēn shuài a"

这个句子表达赞叹的语气。再如：多漂亮呀、好美丽啊、太好了、可好玩儿啦。

This type of sentence is used in praise of someone or something. Similar sentences are "duō piàoliang ya", "hǎo měilì a", "tài hǎo le", "kě hǎo wánr la".

2. "理发理得非常好"

"Lǐ fà lǐ de fēicháng hǎo"

这个句子的意思是那个理发馆的理发水平达到一定的程度。它的结构是"理（动词）+发（宾语）+理（动词）+得+好（形容词）"，"好"说明动作达到的程度。我们在第四课学过程度补语"动词+得+形容词"，表示动作达到的程度，如果动词有宾语时就要重复动词："动词+宾语+动词+得+形容词"。再如：洗澡洗得非常慢、走路走得很快、打字打得快极了、开车开得很熟练、说汉语说得很流利。

This comment is made with approval of someone or something. Its formation is "lǐ (verb) +fà (object) + lǐ (verb) + de +hǎo (adjective)". "hǎo" is used to indicate the level or extent of the action. In Lesson 4 we came across the complement of degree in the structure of "verb + de + adjective". If the verbal predicate takes an object, the verb should be repeated. Thus the structure is "verb + object + verb + de + adjective".E.g.."xǐzǎo xǐ de fēicháng màn", "zǒu lù zǒu de hěn kuài", "dǎ zì dǎ de kuài jí le", "kāi chē kāi de hěn shúliàn", "shuō Hànyǔ shuō de hěn liúlì".

练习 *Exercises*

一、跟读并辨别下面音节。

Read the following syllables after the tape and distinguish one from another.

xīzhuāng–Xīzàng

shāngyè–wǔyè

yuēhuì–xiéhuì

cháng–zhǎng

xǐ fà–lǐ fà

二、听录音并熟读下面的句子。

Listen to the recording and read the following sentences until you are fluent.

1. Xīn xīzhuāng a, zhēn shuài a. Shì míngpái ba.
   新　西装　啊，真　帅啊。是　名牌　吧。

2. Wā, tóufa zhēn piàoliang.
   哇，头发　真　漂亮。

3. Bú cuò, hěn hǎokàn.
   不　错，很　好看。

4. Zài yì jiā xīn kāizhāng de lǐfàdiàn.
   在　一家　新　开张　的　理发店。

5. Nín yào lǐ fà?
   您　要理发？

6. Lǐ fà. Tóufa yǒu diǎnr cháng le.
   理发。头发　有　点儿　长　了。

7. Yǒu gè dìfang, xǐ tóu lǐ fà dōu bú cuò.
   有　个　地方，洗头理发　都　不　错。

8. Wǒ zhǐ yào jiǎn duǎn diǎnr, bú yào nàme fùzá.
   我　只　要　剪　短　点儿，不　要　那么　复杂。

三、请让我们一起再学习几个常用的词语，然后做练习。

Let's learn some more commonly used words before we do the exercises.

补充词语	Supplementary Words		
热	rè	（形）	hot	(adj.)
烫	tàng	（动）	to have a perm	(v.)
吹	chuī	（动）	To dry with a dryer	(v.)

选择填空	Fill in the Blanks with Appropriate Words

lǐ fà（理发）　　　　xǐ tóu（洗头）

rè（热）　　　　piàoliang（漂亮）

jiǎn（剪）　　　　zuò（做）

tàng（烫）　　　　shuài（帅）

míngpái（名牌）

1. A：Xiānsheng,

   A：先生，＿＿＿＿＿＿＿？

   B：Lǐ fà.

   B：理 发。

   A：Qǐng lái zhèbiān

   A：请 来 这边 ＿＿＿＿＿。

   B：Shuǐ yào rè yì diǎnr.

   B：水 要 热 一 点儿。

   A：Hǎo de.

   A：好 的。

2. A：Nín yào ＿＿＿＿＿ tóufa?

   A：您 要 ＿＿＿＿＿ 头发？

   B：Duì, ＿＿＿＿＿ tóufa.

   B：对，＿＿＿＿＿ 头发。

   A：Nín xiǎng zěnme zuò?

   A：您 想 怎么 做？

   B：Xiàbiān ＿＿＿＿＿ yíxià.

   B：下边 ＿＿＿＿＿ 一下。

   A：Nín tàng fà yídìng hěn ＿＿＿＿＿.

   A：您 烫 发 一定 很 ＿＿＿＿＿。

   B：Xièxie.

   B：谢谢。

3. A：Nín yào zěnme ＿＿＿＿＿

   A：您 要 怎么 ＿＿＿＿＿？

   B：＿＿＿＿＿ duǎn diǎnr, chuīchui.

   B：＿＿＿＿＿ 短 点儿， 吹吹。

   A：Hǎo de, qǐng lái zhèbiān ＿＿＿＿＿

   A：好 的，请 来 这边 ＿＿＿＿＿。

4. A：Xīn xīzhuāng a, zhēn ＿＿＿＿＿ a. Duōshao qián mǎi de?

   A：新 西装 啊，真＿＿＿＿＿啊。多少 钱 买 的？

   B：Wǔqiān.

   B：五千。

   A：Tài guì le!

   A：太 贵 了！

   B：Dāngrán le, shì ＿＿＿＿＿ ma.

   B：当然 了，是 ＿＿＿＿＿ 嘛。

四、完成下列对话。

Complete the following dialogues.

1. A：Xīn yīfu a? Zhēn

   A：新 衣服 啊? 真 _____。

   B：Zài nǎir mǎi de?

   B：在 哪儿 买 的?

   A：Zài yì jiā xīn   de fúzhuāngdiàn.

   A：在 一家 新 _____ 的 服装店。

2. A：Nín

   A：您 _____?

   B：Lǐ fà.

   B：理 发。

   A：Nín yào zěnme

   A：您 要 怎么 _____?

   B：   chuīchui.

   B：_____、吹吹。

   A：Qǐng lái zhèbiān

   A：请 来 这边 _____。

   B：Shuǐ yào   diǎnr.

   B：水 要 _____ 点儿。

3. A：Nín qǐng lái zhèbiān.

   A：您 请 来 这边。

   B：Wǒ kěyǐ qǐng Zhāng xiānsheng gěi wǒ zuò   ma?

   B：我 可以 请 张 先生 给 我 做 _____ 吗?

   A：Kěyǐ.

   A：可以。

   B：Wǒ néng yòng zìjǐ de   ma?

   B：我 能 用 自己 的 _____ 吗?

   A：Dāngrán kěyǐ.

   A：当然 可以。

4. A：Míngtiān wǒ yǒu gè yuēhuì, xiǎng bǎ tóufa   de

   A：明天 我 有 个 约会, 想 把 头发 _____ 得

      piàoliang yì diǎnr.

      漂亮 一 点儿。

   B：Yǒu gè dìfang   dōu bú cuò.

   B：有 个 地方, _____、_____ 都 不 错。

A：Shì qiánbiān nǎ jiā ma?
A：是　前边　那　家　吗？
B：Bú shì, shì yì jiā xīn　　　　　　de
B：不　是，是　一　家　新 ＿＿＿＿＿ 的 ＿＿＿＿＿。

五、请根据课文内容回答下列问题。

Answer the following questions by using the information given in the text.

1. Wáng Guāng jīntiān chuān le shénme yīfu?
   王　　光　今天　穿　了　什么　衣服？

2. Lǐ Lín jīntiān de tóufa zěnmeyàng?
   李　琳　今天　的　头发　怎么样？

3. Lǐ Lín de tóufa shì zài nǎr zuò de?
   李　琳　的　头发　是　在　哪儿　做　的？

4. Màikè yào zuò shénme?
   麦克　要　做　什么？

5. Màkè xiǎng zěnme lǐ fà?
   麦克　想　怎么　理发？

6. Nǎ jiā lǐfàdiàn kěyǐ ràng kèrén yòng zìjǐ de xǐfàshuǐ ma?
   那　家　理发店　可以　让　客人　用　自己的　洗发水　吗？

六、下面的情景你知道该怎么说吗？请试一试。

Try to express yourself in the following situations.

1. 在理发店，服务员问你想怎么理，你回答他。
   You tell the barber how you wish your hair to be cut.

2. 如果你想用自己的洗发水，应该怎么对服务员说？
   How will you explain to the barber if you wish to use your own shampoo.

3. 你看到公司一个熟悉的同事穿了新衣服，可以怎么夸他？
   How would you express your high opinion of the new suit your colleague was on?

4. 你向朋友推荐一家服务很好的理发店，你怎么说？
   How would you recommend to your friend a barber's shop that serves customers well?

七、汉字点击。

Open the CD to view the characters.

请通过光盘点击认读、书写下面的汉字。请注意汉字书写时的笔顺。

Open the CD to view and write the characters with special attention to their stroke-order.

帅　当　哇　商　秘　密　告　诉
店　约　陪　只　剪　短　复　杂

文化点击　Cultural Points

关于中国人的着装

总的来说,中国人的着装与交际场合的对应关系不像西方人那么细致和严格。在工作场所,比如说在公司的办公室,人们穿的不一定很正式,男人不一定穿西装、打领带,这取决于各单位的要求。所以,在公司,你也许看见一个职员穿着夹克衫,另一个职员穿着西服、牛仔裤来上班。相反,朋友聚会时,一位男士也许会穿着笔挺的西装来。不少外国人以为中山装是中国人常穿的服装,其实现在已经很少有人穿了。在正式场合男人更多的是穿西装,女人则可能有多种选择,套装和旗袍一般被当做女人的正式服装。

Chinese Clothes Consciousness

Generally speaking, Chinese people are not so careful and strict about the match of social occasions and their attire. In an office, for example, the staff members do not have to wear a suit and tie formally. At a company one may see some gents in jackets and jeans, and others in suits. On the other hand, formal clothes are commonly seen at a party. Many foreigners think that Chinese people only like to wear Chinese tunic suits which are in fact rare nowadays. On formal occasions men are well dressed. Ladies prefer suits and skirts, or the qipao, though they do have a great variety of outer garments to choose from.

Dì-shí'èr kè   Nǐ nǎr bù shūfu

第 12 课   你 哪儿 不 舒服

Lesson 12   What Is Worrying You

导学 Guiding Remarks

生病是一件不舒服的事，把你的病情告诉医生或其他人，用汉语怎么说呢？在公司工作，生病了应该向公司请假，用汉语怎么表达呢？听听麦克他们是怎么说的吧。

Falling ill is never an agreeable matter. How would you tell the doctor and others about your illness in Chinese? If you work for a company, you have to ask for sick leave, but how would you say it in Chinese? Now listen to Mike and his colleagues...

课文 Text

A

　　早晨9点15分。麦克像往常一样坐在老板台前。平时，这个时候李琳会进来与麦克商议一天的工作。可是今天李琳没来，她怎么了？麦克按了一个电话键。小白走进麦克办公室。

　　It's 9:30 AM. Mike is sitting at the manager's table as usual. At this hour of the day Li Lin would have come and discussed the day's work with him, but she hasn't turned up today. What has happened to her? Mike presses a key on his intercom, Xiao Bai enters his office.

Mǎkè: Lǐ Lín méi lái shàng bān?
麦克: 李琳 没 来 上 班?
Mike: Has Li Lin come in?

Xiǎo Bái: Tā bìng le, qǐng jià le.
小 白: 她 病 了, 请 假 了。
Xiao Bai: She is feeling unwell, and has asked for sick leave.

Mǎkè: Bìng le? Tā zěnme le?
麦克: (有点吃惊)病 了? 她 怎么 了?
Mike: (surprised) She's sick? What's wrong with her?

Xiǎo Bái: Gǎnmào le.
小 白: 感冒 了。
Xiao Bai: She's gone down with flu.

Mǎkè: Lìhai ma?
麦克: 厉害 吗?
Mike: Is it serious?

Xiǎo Bái: Tǐng lìhai de. Fā shāo, sānshíjiǔ dù.
小 白: 挺 厉害 的。发 烧, 三十九 度。
Xiao Bai: Quite. She has a high fever of 39℃.

Mǎkè: Ō.
麦克: 噢。
Mike: Oh, that's too bad!

麦克的电话响了，是李琳给麦克打电话请假。
The telephone rings. Li Lin is calling Mike to ask for sick leave.

Lǐ Lín：　　　　　　Wéi? Màizǒng, wǒ shì Lǐ Lín.
李 琳：(在床上靠着)喂? 麦总， 我 是 李 琳。
　Li Lin：(Sitting up against the head of a bed) Hello, Maizong! It's me Li Lin.

Màikè：Nǐ hǎo, Lǐ Lín.
麦 克：你 好，李 琳。
　Mike：How are you, Li Lin?

Lǐ Lín：Wǒ shēng bìng le, qǐng liǎng tiān jià.
李 琳：我 生 病 了，请 两 天假。
　Li Lin：I'm ill. May I stay away from work ?

Màikè：Hǎo de. Nǐ hǎo diǎnr le ma? Nǎ tiān néng lái shàng bān?
麦 克：好 的。你 好 点儿 了吗? 哪 天 能 来 上 班?
　Mike：That's all right. Are you feeling any better? When will you be able to come?

Lǐ Lín：Hǎo duō le, xièxie Màizǒng. Wǒ hòutiān qù shàng bān.
李 琳：好 多 了，谢谢 麦总。 我 后天 去 上 班。
　Li Lin：Much better now. Thank you, Maizong.I'll be back the day after tomorrow.

B

在办公室。
In the office.

Wáng Guāng：Nǐ zěnme le? Bìng le?
王 光：你 怎么 了? 病 了?
Wang Guang：What's the trouble? Are you feeling unwell?

Zhíyuán：　　　　　　　　　Wǒ yǒu diǎnr nánshòu. Bú tài shūfu.
职 员：(靠在椅子上，痛苦状)我 有 点儿 难受。 不 太 舒服。
　Clerk：(Painfully sitting against the back of the chair) I am not feeling very
　　well. I feel sick.

Wáng Guāng：Shì bu shì gǎnmào le? Fā shāo ma?
王 光：是 不 是 感冒 了? 发 烧 吗?
Wang Guang：You've got a cold, haven't you? Are you running a temperature?

140

Zhíyuán：Bù fā shāo, tóu yǒu diǎnr téng.

职员：不 发 烧， 头 有 点儿 疼。

Clerk：No, I am not, but I've got a headache.

Wáng Guāng：Yào bu yào qù yīyuàn kànkan?

王 光：要 不要 去 医院 看看?

Wang Guang：Are you going to see the doctor?

Zhíyuán：Bú yòng le, wǒ xiān chī diǎnr yào.

职员：不 用 了，我 先 吃 点儿 药。(从包里拿药)

Clerk：Not now. I'll take some medicine. (Taking it from his bag)

Wáng Guāng：Wǒ gěi nǐ dào diǎnr shuǐ.

王 光：我 给 你 倒 点儿 水。(去饮水机接水)

Wang Guang：Let me get you some water.(Going to the water container)

Zhíyuán：Xièxie nǐ.

职员：谢谢 你。

Clerk：Thank you.

Wáng Guāng：Yào bu yào huí jiā xiūxi?

王 光：要 不 要 回 家 休息?

Wang Guang：What about returning home for a rest?

Zhíyuán：Bú yòng le, kuài xià bān le.

职员：不 用 了，快 下班 了。

Clerk：Not necessary. It's about time to knock off.

词 语　　　Word List

1.舒服	shūfu	（形）	comfortable	(adj.)
2.病	bìng	（动）	to fall ill	(v.)
3.请假	qǐng jià		to ask for leave	
4.感冒	gǎnmào	（动）	to catch a cold	(v.)
5.厉害	lìhai	（形）	serious	(adj.)
6.发烧	fā shāo	（动）	to run a fever	(v.)
7.度	dù	（量）	degree	(mw.)
8.生病	shēng bìng		to be sick	(v.)
9.后天	hòutiān	（名）	the day after tomorrow	(n.)
10.难受	nánshòu	（形）	terribly sick	(adj.)
11.疼	téng	（动）	to have a pain	(v.)
12.医院	yīyuàn	（名）	hospital	(n.)
13.药	yào	（名）	medicine	(n.)
14.倒	dào	（动）	to pour	(v.)
15.回家	huí jiā		to return home	
16.休息	xiūxi	（动）	to take a rest	(v.)

语言点链接　　　Language Points

"了"

"Le"

　　本课中的"了"都位于句末，叫语气助词(与第5课出现的"了"相同)。它有两个作用：表示出现了新情况或发生了变化。例如：病了、请假了、感冒了、是不是感冒了、你好点儿了吗、好多了、你怎么了、快下班了。"了"还表示语气、在结构上也不可缺少。例如：太好了、公园的人多极了、今天热死了。

　　In this text "le" used at the end of a sentence functions as a modal particle and is identical with the "le" in lesson 5. It indicates that something has changed or been put into a new state. E.g.. "bìng le", "qǐng jià le", "gǎnmào le", "shì bu shì gǎnmào le", "nǐ hǎo diǎnr le ma", "hǎo duō le", "nǐ zěnme le", "kuài xià bān le". "le" is also used to convey the tone and structure of the sentence. E.g.. "tài hǎo le", "gōngyuán de rén duō jí le", "jīntiān rèsǐ le".

练　习　　Exercises

一、跟读并辨别下面音节。

Read the following syllables after the tape and distinguish one from another.

shàng bān–xià bān

bìng–xìng

yào–xiào

fā shāo–fā gǎo

shūfu–shūhu

二、听录音并熟读下面的句子

Listen to the recording and read the following sentences until you are fluent.

1. Tā bìng le, qǐng jià le.
   她　病　了，请　假了。

2. Bìng le? Tā zěnme le?
   病　了？她　怎么了？

3. Gǎnmào le.
   感冒　　了。

4. Lìhai ma?
   厉害　吗？

5. Tǐng lìhai de, fā shāo sānshíjiǔ dù.
   挺　厉害的，发　烧　三十九　度。

6. Wǒ shēng bìng le, qǐng liǎng tiān jià.
   我　生　病　了，请　两　天　假。

7. Nǐ hǎo diǎnr le ma?
   你　好　点儿了吗？

8. Hǎo duō le.
   好　多了。

9. Wǒ yǒu diǎnr nánshòu, bú tài shūfu.
   我　有点儿　难受，　不太　舒服。

143

10. Shì bu shì gǎnmào le? Fā shāo ma?
   是 不 是 感冒 了？发 烧 吗？

11. Bù fā shāo, tóu yǒu diǎnr téng.
   不 发 烧，头 有 点儿 疼。

12. Yào bu yào qù yīyuàn kànkan?
   要 不 要 去 医院 看看？

13. Bú yòng le, wǒ xiān chī diǎnr yào.
   不 用 了，我 先 吃 点儿 药。

14. Yào bu yào huí jiā xiūxi?
   要 不 要 回 家 休息？

三、请让我们一起再学习几个常用的词语，然后做练习。

Let's learn some more commonly used words before we do the exercises.

补充词语　Supplementary Words

咳嗽	késou	（动）	to cough	(v.)
嗓子	sǎngzi	（名）	throat	(n.)
鼻子	bízi	（名）	nose	(n.)
通	tōng	（动）	to get through	(v.)
打针	dǎ zhēn		to inject	
片	piàn	（量）	tablet	(mw.)
量	liáng	（动）	to take; to measure	(v.)
体温	tǐwēn	（名）	temperature	(n.)
大夫	dàifu	（名）	doctor	(n.)
张	zhāng	（动）	to open	(v.)
嘴	zuǐ	（名）	mouth	(n.)

选择填空　Fill in the Blanks with Appropriate Words

tóu téng （头疼）	fā shāo （发烧）
yào （药）	xiūxi （休息）
zěnme （怎么）	sǎngzi （嗓子）
gǎnmào （感冒）	hóng （红）
tōng （通）	téng （疼）
nánshòu （难受）	huí jiā （回家）
bìngjià （病假）	

1. A：Nǐ nǎr bù shūfu?

   A：你 哪儿 不 舒服？

   B：Wǒ _____ yǒu diǎnr _____。Bízi bù

   B：我 _____，有 点儿 _____。鼻子 不 _____。

   A：Liáng yíxià tǐwēn. Yō, sānshíbā dù.

   A：量 一下 体温。哟，三十八 度。

   B：Yào dǎ zhēn ma?

   B：要 打 针 吗？

   A：Bú yòng, chī diǎnr _____ jǐ tiān jiù hǎo le.

   A：不 用，吃 点儿 _____，_____ 几 天 就 好 了。

2. A：Nǐ _____ le?

   A：你 _____ 了？

   B：Wǒ tóu téng、bízi bù _____ sǎngzi _____ késou.

   B：我 头 疼、鼻子 不 _____，嗓子 _____，咳嗽。

   A：Zhāng zuǐ, kàn yíxià.

   A：张 嘴，看 一下。

   B：ā.

   B：啊。

   A：Nǐ _____ le, sǎngzi hěn _____

   A：你 _____ 了，嗓子 很 _____。

   B：Dàifu, wǒ de bìng lìhai ma?

   B：大夫，我 的 病 厉害 吗？

   A：Bú yàojǐn, wǒ gěi nǐ kāi diǎnr yào, _____ jǐ tiān jiù hǎo le.

   A：不 要紧，我 给 你 开 点儿 药，_____ 几 天 就 好 了。

   B：Dàifu, zhè zhǒng yào zěnme chī?

   B：大夫，这 种 药 怎么 吃？

   A：Měi tiān sān cì, měi cì yí piàn.

   A：每 天 三 次，每次 一 片。

3. A：Nǐ zěnme le? bìng le?

   A：你 怎么 了？病 了？

   B：Wǒ yǒu diǎnr _____

   B：我 有 点儿 _____。

   A：Shì bu shì _____ le? Fā shāo ma?

   A：是 不 是 _____ 了？发 烧 吗？

   B：Bù fā shāo, yǒu diǎnr tóu téng.

   B：不 发 烧，有 点儿 头 疼。

A：Yào bu yào

A：要 不 要＿＿＿＿＿？

B：Bú yòng le, wǒ xiān xiūxi yíhuìr.

B：不 用 了，我 先 休息一会儿。

4.A：Wèi, Wáng jīnglǐ ma? Wǒ shì Xiǎo Dīng.

A：喂，王 经理 吗? 我 是 小 丁。

B：Nǐ hǎo, Xiǎo Dīng, shénme shì?

B：你 好， 小 丁， 什么 事?

A：Wǒ ＿＿＿＿ le, qǐng liǎng tiān

A：我＿＿＿＿＿ 了，请 两 天＿＿＿＿＿。

B：Bìng le? Nǐ ＿＿＿＿ le?

B：病 了? 你＿＿＿＿＿了?

A：Fā shāo le.

A：发 烧 了。

B：Ò, nà nǐ hǎo hǎo ＿＿＿＿ ba.

B：哦，那 你 好 好＿＿＿＿＿吧。

四、完成下列对话。

Complete the following dialogues.

1.A：Nǐ nǎr bù shūfu?

A：你 哪儿 不 舒服？

B：Wǒ

B：我＿＿＿＿＿、＿＿＿＿＿。

A：Nǐ ＿＿＿＿ le.

A：你＿＿＿＿＿了。

2.A：Nǐ zěnme bù shūfu?

A：你 怎么 不 舒服？

B：Wǒ fā shāo

B：我 发 烧、＿＿＿＿＿、＿＿＿＿＿。

A：Yào chī yào ma?

A：要 吃 药 吗？

B：Bú yòng, ＿＿＿＿ jiù hǎo le.

B：不 用，＿＿＿＿＿就 好 了。

3.A：Nǐ bìng le?

　　A：你 病 了？

　　B：Wǒ bù　　　　　hěn

　　B：我 不 _____，很 _____。

　　A：Yào bu yào qù yīyuàn kànkan?

　　A：要 不 要 去 医院 看看？

　　B：_____。

4.A：Wèi? Lǐ Lín ma? Wǒ shì Xiǎo Bái.

　　A：喂？ 李 琳 吗？ 我 是 小 白。

　　B：Nǐ hǎo, Xiǎo Bái.

　　B：你 好，小 白。

　　A：Nǐ zěnmeyàng le? Hǎo diǎnr le ma?

　　A：你 怎么样 了？ 好 点儿 了 吗？

　　B：　　　　le.

　　B：_____ 了。

　　A：Shì ma? Duō　　　　liǎng tiān ba.

　　A：是吗？ 多 _____ 两 天 吧。

　　B：Bú yàojǐn le, míngtiān jiù néng shàng bān le.

　　B：不 要紧 了， 明天 就 能 上 班 了。

五、请根据课文内容回答下列问题。

Answer the following questions by using the information given in the text.

1.Lǐ Lín wèishénme méi lái shàng bān?

　李 琳 为什么 没 来 上 班？

2.Lǐ Lí dé le shénme bìng? Lìhai ma?

　李 琳 得 了 什么 病？ 厉害 吗？

3.Lǐ Lín wèishénme gěi Màikè dǎ diànhuà?

　李 琳 为什么 给 麦克 打 电话？

4.Nàge zhíyuán zěnme bù shūfu le?

　那个 职员 怎么 不 舒服 了？

5.Wáng Guāng duì nàge zhíyuán shuō le shénme huà?

　王 光 对 那个 职员 说 了 什么 话？

六、下面的情景你知道该怎么说吗？请试一试。

Try to express yourself in the following situations.

1. 你感冒了，在医院，你向医生描述你的病情。

You have caught a cold. Now you are explaining to the doctor what your trouble is at the hospital.

2. 你不清楚一种药的吃法，你问一位医生。

You ask the doctor about the dose of a medicine.

3. 上班的时候，你发现一位同事不舒服，你关切地询问。

You find a colleague sick during business hours and you inquire about him.

4. 一位同事生病了，请假在家里休息，你打电话问候。

You give a sympathy call to a colleague who has been off work for a rest at home.

七、汉字点击。

Open the CD to view the characters.

请通过光盘点击认读、书写下面的汉字。请注意汉字书写时的笔顺。

Open the CD to view and write the characters with special attention to their stroke-order.

病 假 冒 厉 害 烧 度 受 舒 疼 医 院 药 休 息

文化点击 Cultural Points

中国的医院、药店

在中国，医院有明确分科，比如外科、内科、五官科等。去医院看病，一般要先去登记，这叫做"挂号"，挂号时，一般病人要自己说出想要看哪个科的医生，而不是由医院决定你去哪个科。中国的医院一般都设有药房，医生开出的处方一般都是在医院的药房取药。中国的药店可以出售各种药。目前，除少数药品外，在药店买药并不需要出示医生处方。

Chinese Dispensary

A Chinese hospital is generally divided into a surgery, internal medicine and otorhinolaryngology departments etc.. When registering for diagnosis and treatment the patient will choose the department he or she wants to go to instead of being decided by the hospital. The hospital pharmacy dispenses to the prescription signed by the doctor. In a drug store all the medicine can be bought over the counter except for a few items that are available only by doctor's prescription.

Dì-shísān kè   Qiānzhèng dào qī le
第 13 课   签证 到 期了
Lesson 13   Your Visa Has Expired

导 学 Guiding Remarks

麦克的朋友、BM 公司的技术顾问 John 先生要来中国，需要办哪些手续？你在中国长期居住，怎么办有关手续？学了本课你就明白了。

John, a friend of Mike's and technical adviser to BM Company, is coming to China for a visit. What are the necessary formalities that he is required to go through? You have been living in China for a long time. How did you complete these formalities? You will understand more about them after learning this text.

商务汉语入门

课文 Text

A

小王要和麦克出国参加一个博览会，他和李琳商量办理出国手续问题。
Xiao Wang who is going to an international fair with Mike discusses with Li Lin the formalities that he should go through.

Wáng Guāng：Lǐ Lín, xià ge yuè wǒ yào hé Màizǒng qù Fǎguó cānjiā bólǎnhuì.
王 光：李 琳，下 个 月 我 要 和 麦总 去 法国 参加 博览会。
Wang Guang：Li Lin, Maizong and I are going to an international fair in France next month.

Lǐ Lín：Wǒ zhīdào.
李 琳：我 知道。
Li Lin：I know that.

Wáng Guāng：Nǐ néng bāng wǒ bàn qiānzhèng ma?
王 光：你 能 帮 我 办 签证 吗？
Wang Guang：Can you help me with my visa application?

Lǐ Lín：Kěyǐ. Yǒu yāoqǐng xìn ma?
李 琳：可以。有 邀请 信 吗？
Li Lin：With pleasure. Have you received any invitation?

Wáng Guāng：Yǒu.
王 光：有。
Wang Guang：Yes, I have.

Lǐ Lín：Nǐ yǒu hùzhào ba?
李 琳：你 有 护照 吧？
Li Lin：Have you got your passport with you?

Wáng Guāng：Yǒu.
王 光：有。
Wang Guang：Yes, I have.

150

Lǐ Lín：Dōu gěi wǒ ba.

李 琳：都 给 我 吧。

Li Lin：Give them to me.

Wáng Guāng： Gěi, zhè shì yāoqǐng xìn,

王 光：(回到办公桌拿邀请信和护照)给，这 是 邀请 信，

zhè shì wǒ de hùzhào.

这 是 我 的 护照。

Wang Guang：(Returning from his office with the invitation and his passport in hand)
Here are my invitation and passport.

Lǐ Lín：Hái yào liǎng zhāng zhàopiàn.

李 琳：还 要 两 张 照片。

Li Lin：Two of your photos are needed.

Wáng Guāng：Míngtiān gěi nǐ dàilái.

王 光：明天 给 你 带来。

Wang Guang：I'll give them to you tomorrow.

Lǐ Lín：Shíjiān bǐjiào jǐn, wǒ xiǎng míngtiān qù Fǎguó shǐguǎn,

李 琳：时间 比较 紧，我 想 明天 去 法国 使馆，

míngtiān nǐ yídìng yào dàilái.

明天 你 一定 要 带来。

Li Lin：Time is short. I'll go to the French embassy tomorrow. Be sure to bring them.

Wáng Guāng：Yídìng.

王 光：一定。

Wang Guang：By all means.

151

B

办公室，麦克拿着护照找到李琳
Mike comes to Li Lin's office with his passport in hand.

Mākè：Lǐ Lín.
麦克：李 琳。
Mike：Li Lin.

Lǐ Lín：Màizǒng, shénme shì?
李 琳：麦总， 什么 事?
Li Lin：Can I help you, Maizong?

Mākè：Wǒ de qiānzhèng kuài dào qī le, xūyào yán qī.
麦克：我 的 签证 快 到 期 了，需要 延期。
Mike：My visa will expire soon. It needs to be extended.

Lǐ Lín：Shì ma? Nà děi qù gōng'ānjú bàn yíxià yán qī shǒuxù.
李 琳：是 吗? 那 得 去 公安局 办 一下 延期 手续。
Li Lin：Really? You can get it extended at the Public Security Bureau.

Mākè：Nǐ bāng wǒ bàn ba.
麦克：你 帮 我 办 吧。
Mike：Will you help me with it?

Lǐ Lín：Kěyǐ, búguò xūyào zhèngmíng cáiliào.
李 琳：可以，不过 需要 证明 材料。
Li Lin：With pleasure, but we need all your relevant documents.

Mākè：Míngtiān wǒ gěi nǐ.
麦克：明天 我 给 你。
Mike：I'll give them to you tomorrow.

Lǐ Lín：Hǎo de.
李 琳：好 的。
Li Lin：Fine.

词 语   *Word List*

1. 签证	qiānzhèng	（名）	visa	*(n.)*
2. 到期	dāo qī		to expire	
3. 法国	Fǎguó	（专名）	France	*(pn.)*
4. 参加	cānjiā	（动）	to participate	*(v.)*
5. 博览会	bólǎnhuì	（名）	fair	*(n.)*
6. 办	bàn	（动）	to go through (a procedure)	*(v.)*
7. 邀请	yāoqǐng	（动）	to invite	*(v.)*
8. 信	xìn	（名）	letter	*(n.)*
9. 张	zhāng	（量）	piece	*(mw.)*
10. 比较	bǐjiào	（副）	comparatively	*(adv.)*
11. 紧	jǐn	（形）	tight	*(adj.)*
12. 使馆	shǐguǎn	（名）	embassy	*(n.)*
13. 延期	yán qī		to extend	
14. 公安局	gōng'ānjú	（名）	pubic security bureau	*(n.)*
15. 手续	shǒuxù	（名）	formalities	*(n.)*
16. 证明	zhèngmíng	（名）	certificate	*(n.)*

语言点链接   *Language Points*

1. "我要和麦总去法国参加博览会/你能帮我办签证吗/那得去公安局办一下延期手续"

"Wǒ yào hé Màizǒng qù Fǎguó cānjiā bólǎnhuì/nǐ néng bāng wǒ bàn qiānzhèng ma/nà děi qù gōng'ānjú bàn yíxià yán qī shǒuxù"

这三个句子的特点是：有两个或三个动词，共用一个主语。即一个主语发出两个或两个以上的动作。例如第一个句子的意思就是：我和麦总去法国，我和麦总参加博览会。

In each of the three sentences, there is one subject followed by two or three verbs. The meaning of the first sentence is "wǒ hé Màizǒng qù Fǎguó" and "wǒ hé Màizǒng cānjiā bólǎnhuì".

153

2."得"

"Děi"

可以用在动词或形容词前边,意思是情理上需要。例如:我得快点儿,来不及了。今晚,你得加班。我得给客户打个电话。

It is used to mean "should" before a verb or an adjective.E.g.."Wǒ děi kuài diǎnr, láibují le." "Jīn wǎn, nǐ děi jiā bān." "Wǒ děi gěi kèhù dǎ ge diànhuà."

练 习   Exercises

一、跟读并辨别下面音节。

Read the following syllables after the tape and distinguish one from another.

cānjiā–cānguān

qiānzhèng–qiān zì

yāoqǐng –yāoqiú

gōng'ānjú–gōngshāngjú

shǒuxù–shōujù

二、听录音并熟读下面的句子。

Listen to the recording and read the following sentences until you are fluent.

1.Nǐ néng bāng wǒ bàn qiānzhèng ma?
  你 能 帮 我 办 签证 吗?

2.Yǒu yāoqǐng xìn ma?
  有 邀请 信 吗?

3.Nǐ yǒu hùzhào ba?
  你 有 护照 吧?

4.Zhè shì yāoqǐng xìn, zhè shì hùzhào.
  这 是 邀请 信,这 是 护照。

5.Hái yào liǎng zhāng zhàopiàn.
  还 要 两 张 照片。

6.Wǒ xiǎng míngtiān qù Fǎguó shǐguǎn.
  我 想 明天 去 法国 使馆。

7. Wǒ de qiānzhèng kuài dào qī le, xūyào yán qī.
我 的 签证 快 到期了，需要 延期。

8. Nà děi qù gōng'ānjú bàn yíxià yán qī shǒuxù.
那 得 去 公安局 办 一下 延期 手续。

9. Nǐ bāng wǒ bàn ba.
你 帮 我 办 吧。

10. Kěyǐ, búguò xūyào zhèngmíng cáiliào.
可以， 不过 需要 证明 材料。

三、请让我们一起再学习几个常用的词语，然后做练习。

Let's learn some more commonly used words before we do the exercises.

补充词语　Supplementary Words

参观	cānguān	（动）	to look round	(v.)
考察	kǎochá	（动）	to observe	(v.)
访问	fǎngwèn	（动）	to visit	(v.)

选择填空　Fill in the Blanks with Appropriate Words

qiānzhèng（签证）　　hùzhào（护照）

yāoqǐng（邀请）　　zhàopiàn（照片）

dàshǐguǎn（大使馆）　　dào qī（到期）

gōng'ānjú（公安局）　　yán qī（延期）

1. A：Lǐ Lín, xià gè yuè, wǒ péi Màizǒng qù Fǎguó cānguān
   A：李 琳，下 个 月，我 陪 麦总 去 法国 参观
   fǎngwèn, yǒu shì xūyào nǐ bāng máng.
   访问， 有 事 需要 你 帮 忙。

   B：Shénme shì?
   B：什么 事？

   A：Bàn　　　　　de shì.
   A：办 _____ 的 事。

   A：Nǐ yǒu　　　　ma?
   A：你 有 _____ 吗？

   A：Yǒu.
   A：有。

155

B：＿＿＿＿＿ xìn yǒu ma?

B：＿＿＿＿＿信 有 吗？

A：Yǒu.

A：有。

B：Dōu fàng zài wǒ zhuōzi shàng ba.

B：都 放 在 我 桌子 上 吧。

2.A：Zhè shì ＿＿＿＿＿，zhè shì ＿＿＿＿＿ xìn.

A：这 是 ＿＿＿＿＿，这 是 ＿＿＿＿＿ 信。

B：Hái yào liǎng zhāng ＿＿＿＿＿

B：还 要 两 张 ＿＿＿＿＿。

A：Zài zhèr.

A：在 这儿。

B：Dōu gěi wǒ, míngtiān wǒ jiù qù Fǎguó

B：都 给 我， 明天 我 就 去 法国＿＿＿＿＿。

3.A：Xià gè yuè JOHN xiānsheng yào lái Běijīng.

A：下 个 月 JOHN 先生 要 来 北京。

B：Shì ma? Huānyíng tā lái gōngsī kǎochá.

B：是 吗？ 欢迎 他 来 公司 考察。

A：Zěnme bàn shǒuxù?

A：怎么 办 手续？

B：Gōngsī fā yì fēng ＿＿＿＿＿ xìn, tā zìjǐ qù ＿＿＿＿＿ bàn ＿＿＿＿＿

B：公司 发 一 封 ＿＿＿＿＿信，他 自己 去 ＿＿＿＿＿办 ＿＿＿＿＿。

A：Nǐ míngtiān jiù fā ba.

A：你 明天 就 发吧。

B：Hǎo de.

B：好 的。

4.A：Xià gè yuè wǒ yào hé Xiǎo Wáng qù cānjiā yí gè shāngwù

A：下 个 月 我 要 和 小 王 去 参加 一 个 商务

qiàtánhuì, yǒu jiàn shì yào qǐng nǐ bāng máng.

洽谈会， 有 件 事 要 请 你 帮 忙。

B：Nín shuō ba.

B：您 说 吧。

A：Wǒ de qiānzhèng ＿＿＿＿＿ le.

A：我 的 签证 ＿＿＿＿＿了。

B：Nǎ děi qù　　　　　bàn yíxià　　　　　shǒuxù.
B：那 得 去 _____ 办 一下 _____ 手续。

A：Nǐ kuài diǎnr bāng wǒ bàn ba.
A：你 快 点儿 帮 我 办 吧。

B：Hǎo.
B：好。

四、完成下列对话。

Complete the following dialogues.

1. A：Nǐ shénme shíhou qù Fǎguó?
A：你 什么 时候 去 法国?

B：Xià gè yuè.
B：下 个 月。

A：Shǒuxù　　　　　wán le ma?
A：手续 _____ 完 了吗?

B：Méiyǒu.
B：没有。

2. A：Nǐ xià gè yuè qù Fǎguó cānguān fǎngwèn?
A：你 下 个 月 去 法国 参观 访问?

B：Shì de.
B：是 的。

A：Bànwán　　　　　le ma?
A：办完 _____ 了吗?

B：Méiyǒu. Nàbiān de　　　　　xìn hái méi dào.
B：没有。 那边 的 _____ 信 还 没 到。

3. A：Bàn qiānzhèng xūyào shénme?
A：办 签证 需要 什么?

B：Nǐ yǒu　　　　　ma?
B：你 有 _____ 吗?

A：Yǒu.
A：有。

B：Nǐ shōudào　　　　　xìn le ma?
B：你 收到 _____ 信 了吗?

157

A：Shōudào le.

A：收到 了。

B：Nāshàng hé liǎng zhāng zhàopiàn qù

B：拿上 _____、_____ 和 两 张 照片 去

jiù kěyǐ bàn le.

_____ 就 可以 办 了。

4. A：Wǒ de hùzhào qiānzhèng le.

A：我 的 护照 签证 _____ 了。

B：Nà yào qù bàn yíxià shǒuxù.

B：那 要 去 _____ 办 一下 _____ 手续。

A：Nǐ bāng wǒ bàn yíxià ba.

A：你 帮 我 办 一下 吧。

B：Kěyǐ.

B：可以。

五、请根据课文内容回答下列问题。

Answer the following questions by using the information given in the text.

1. Wáng Guāng ràng Lǐ Lín bāng tā zuò shénme?

王 光 让 李琳 帮 他 做 什么？

2. Bàn qiānzhèng xūyào shénme cáiliào?

办 签证 需要 什么 材料？

3. Lǐ Lín míngtiān yào qù nǎr?

李琳 明天 要 去 哪儿？

4. Màikè de qiānzhèng dào qī le, zěnme bàn shǒuxù?

麦克 的 签证 到 期 了，怎么 办 手续？

六、下面的情景你知道该怎么说吗？请试一试。

Try to express yourself in the following situations.

1. 你的朋友要来中国做生意，他向你请教怎么办签证，你告诉他。

Your friend asks you how to apply for an entry visa before coming to do business in China. You tell him about all the formalities that he has to go through.

2.你的签证到期了，你问中国同事怎么办延期手续。

You ask your Chinese colleagues how to extend your visa that has expired.

3.你的中国朋友要去你们国家，你打电话告诉他怎么办签证。

Having learned that one of your Chinese friends is coming to your country , you tell him by phone how to get his passports visaed.

4.你要去法国考察，怎么办签证？请你用汉语说一说。

Tell us in Chinese how you will apply for an entry visa for a study visit to France.

七、汉字点击。

Open the CD to view the characters.

请通过光盘点击认读、书写下面的汉字。请注意汉字书写时的笔顺。

Open the CD to view and write the characters with special attention to their stroke-order.

法　博　览　证　邀　信　比　较　使　延　局　续

文化点击　Cultural Points

中国的签证

如果你要到中国做生意，就需要办理商务签证。中国常见的普通入境签证有旅游签证(L)、商务签证(F)、留学签证(X)、工作签证(Z)、团体签证(G)等5大类。办理签证的基本手续是：持有效护照并填写两份签证申请表，附上两张与护照上相片同样大小的近照，并支付签证费。在中国以外办理签证应去所在国的中国大使馆或领事馆，在中国国内办理签证及有关事宜要去各地的公安局出入境管理部门。

Types of Visa in China

Anyone who wishes to do business in China should apply for a visitor's visa. Chinese visas may be divided into five types: the Tourist Visa (L Visa), the Visitor's Visa (F Visa), the Student Visa (X Visa), the Working Visa (Z Visa) and the Group Visa (G Visa). The procedure is to apply to the Chinese embassy or consulate with your valid passport, two forms of written application, two passport-photo sized personal photos and payment for charges. The extension of visa and application of residence visa can be granted by the exit-entry administration bureau of the provincial or municipal pubic security bureaus in China.

商务汉语入门

Dì-shísì kè　　　Yàngpǐn jì chūqù le

第 14 课　样品　寄出去了

Lesson 14　　The Sample Products Have Been Sent Out

导 学　Guiding Remarks

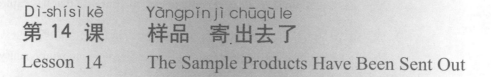

做生意信件往来和货物收发是经常的事。怎么和有关单位联系，怎么办理有关手续，这些用汉语怎么说呢？请你注意本课的说法。

It is almost a daily occurrence for businessmen to exchange letters and goods. How can they get into touch with companies and authorities and go through all the necessary formalities in Chinese? Just follow the text and you will learn some useful Chinese expressions.

课文　Text

A

早晨9点，刚上班，小王的手机响了。原来是快递服务公司上门服务来了。

It's 9:00 AM. Xiao Wang has just come into the office when his mobile phone rings. The caller is the EMS deliverer.

Gōngzuò rényuán：Wáng jīnglǐ, wǒmen shì kuàidì gōngsī de, lái qǔ yàngpǐn.

工作 人员：王　经理，　我们　是　快递　公司　的，来　取　样品。

Visitor：Manager Wang, we are from the EMS Company, We're coming to collect your sample products.

Wáng Guāng：Hǎo de, qǐng shàng sān lóu.

王 光：好　的，请　上　三　楼。

Wang Guang：Great. Go up to the third floor please.

公司样品室，快递公司的人在给样品包装。

In the sample products room the EMS men are packing.

Wáng Guāng：Jì dào Guǎngzhōu, duō cháng shíjiān?

王 光：寄到　广州，　多　长　时间？

Wang Guang：How long will it take the sample products to reach Guangzhou?

Gōngzuò rényuán：èrshísì xiǎoshí zuǒyòu.

工作 人员：二十四　小时　左右。

Visitor：About 24 hours.

Wáng Guāng：Yóufèi duōshao?

王 光：邮费　多少？

Wang Guang：And how much will the postage be?

Gōngzuò rényuán：èrbǎi sānshíqī kuài, qǐng nín tián yíxià dānzi.

工作 人员：二百 三十七　块，请　您　填　一下　单子。

Visitor：RMB 237 yuan.Please fill in the form.

Wǎng Guāng：Jiè nǐ de bǐ yòng yíxià.

王 光：借你的笔用 一下。(填单子)

Qǐng gēn wǒ qù kuàijìshì ná qián.

请 跟 我 去 会计室 拿 钱。

Wang Guang：May I use your pen? (Filling in the form) Please follow me and you'll get the money at the accounting office.

Gōngzuò rényuán：

工作 人员：(拿过单子，撕下一页交给小王)

Zhè shì shōujù, qǐng shōu hǎo.

这 是 收据，请 收 好。

Visitor：(Taking in the form and giving Xiao Wang one of the slips)
This is the receipt for you.

办公室。小王正在给刘经理打电话。
Xiao Wang is talking with Manager Liu by phone in his office.

Wǎng Guāng：Liú jīnglǐ, yàngpǐn jì chūqù le, shōudào hòu,

王 光：刘 经理， 样品 寄 出去 了， 收到 后，

qǐng gěi wǒ fā gè E-mail.

请 给 我 发 个 E-mail 。

Wang Guang：Manager Liu, I've sent out the sample products. Please send me an E-mail message after you have received them.

B

办公室。小王在给托运公司打电话。

Xiao Wang is talking to the consignment agent over the phone in his office.

Wāng Guāng：Wèi, wǒ xiǎng wèn yíxià, wǒmen fā de huò dào le ma?

王　光：喂，我　想　问　一下，我们　发　的　货　到　了　吗?

Wang Guang：Hello! I wonder if the sample products we sent out have been received by our customer?

Gōngzuò rényuán：Fā dào nǎr? Shōu huò rén shì shuí?

工作 人员：发 到 哪儿? 收　货 人 是 谁?

Clerk：Where did you send them to? And who's the consignee?

Wāng Guāng：Fā dào Guǎngzhōu, shōu huò rén shì Guǎngzhōu

王　光：发 到　　广州，　　收 货 人 是　　广州

huàzhuāngpǐn gōngsī.

化妆品　　　公司。

Wang Guang：The destination is Guangzhou, and the consignee is the Guangzhou Cosmetics Company.

Gōngzuò rényuán：Zǒu de shì gōnglù háishi tiělù?

工作 人员：走 的 是　公路　还是 铁路?

Clerk：By van or rail?

Wāng Guāng：Tiělù. Shíyīyuè liù hào fā de huò.

王　光：铁路。十一月　六　号 发 的 货。

Wang Guang：By rail. They were sent out on 6th of November.

Gōngzuò rényuán：　　　　　　　　　Tuōyùndān hàomǎ shì duōshao?

工作 人员：(翻看，查托运单) 托运单　 号码 是　多少 ?

Clerk：(Checking consignment notes) What's the number of the consignment note?

Wāng Guāng：Línglíng'èrjiǔbāliù.

王　光：002986.

Wang Guang：It's 002986.

Gōngzuò rényuán：Qǐng shāo dèng, wǒ chá yíxià.

工作人员：请 稍 等，我 查 一下。

Clerk：Will you wait for a minute? I'll check it.

Wáng Guāng：Hǎo de, xièxie.

王光：好 的，谢谢。

Wang Guang：Yes, thank you.

词 语 Word List

1.	样品	yàngpǐn	（名）	sample	(n.)
2.	寄	jì	（动）	to post	(v.)
3.	快递	kuàidì	（动）	to deliver fast	(v.)
4.	取	qǔ	（动）	to get	(v.)
5.	广州	Guǎngzhōu	（专名）	Guangzhou	(pn.)
6.	邮费	yóufèi	（名）	postage	(n.)
7.	借	jiè	（动）	to borrow, to lend	(v.)
8.	会计室	kuàijìshì	（名）	accounting office	(n.)
9.	收据	shōujù	（名）	receipt	(n.)
10.	收	shōu	（动）	to receive	(v.)
11.	货	huò	（名）	goods	(n.)
12.	谁	shuí	（代）	who	(pron.)
13.	公路	gōnglù	（名）	highway	(n.)
14.	铁路	tiělù	（名）	railway	(n.)
15.	托运	tuōyùn	（动）	consign for shipment	(v.)
16.	查	chá	（动）	to check	(v.)

语言点链接　　Language Points

1."样品寄出去了"

"Yàngpǐn jì chūqù le"

这个句子的意思是通过"寄"这个动作,使样品的位置从BM公司转移到别的地方去了。汉语的"动词+出去"叫复合趋向补语,表示动作使事物由里到外或由内部到外部(立足点在里或内部)。例如:他跑出屋子去了。货昨天发出去了。衣服晒出去了。对应地,"动词+出来"也是趋向补语,表示动作使事物由里到外(立足点在外)。例如:一头大象从公园跑出来了。他从包里拿出来一本书。她终于从商场走出来了。

In this sentence "jì" means "to post". A Chinese verb followed by "chūqù" is known as a compound directional complement, indicating the movement of an object from inside to outside. E.g.."Tā pǎo chū wūzi qù le." "Huò zuótiān fā chūqù le." "Yīfu shài chūqù le." Compare this with the word group of "verb + chū lái" indicating to come out (from an outside standpoint)E.g.."Yì tóu dàxiàng cóng gōngyuán pǎo chūlái le." "Tā cóng bāo lǐ ná chūlái yì běn shū." "Tā zhōngyú cóng shāngchǎng lǐ zǒu chūlái le."

2.发到哪儿/收货人是谁

Fādào nǎr/Shōu huò rén shì shuí

"哪儿"是询问处所,"谁"是问人。例如:你去哪儿? 这是哪儿? 他是谁? 谁病了?

In the preceding phrases "nǎr" is used to inquire of locality whereas "shuí" is used to ask about a person. E.g.."Nǐ qù nǎr?" "Zhè shì nǎr?" "Tā shì shuí?" "Shuí bìng le?"

练 习　　Exercises

一、跟读并辨别下面音节。

Read the following syllables after the tape and distinguish one from another.

yàngpǐn-chǎnpǐn

lóu-hóu

shōujù-shǒujī

shuí-huí

二、听录音并熟读下面的句子。

Listen to the recording and read the following sentences until you are fluent.

1. Wǒmen shì kuàidì gōngsī de, lái qǔ yàngpǐn.
   我们 是 快递 公司 的，来 取 样品。

2. Jì dào Guǎngzhōu, duō cháng shíjiān?
   寄 到 广州， 多 长 时间？

3. Yóufèi duōshao?
   邮费 多少？

4. Qǐng nín tián yíxià dānzi.
   请 您 填 一下 单子。

5. Zhè shì shōujù, qǐng shōu hǎo.
   这 是 收据， 请 收 好。

6. Liú jīnglǐ, yàngpǐn jì chūqù le, shōudào hòu,
   刘 经理， 样品 寄 出去 了， 收到 后，
   gěi wǒ fā gè E-MAIL.
   给 我 发 个 E-MAIL。

7. Wǒmen fā de huò dào le ma?
   我们 发 的 货 到 了吗？

8. Fā dào nǎr? Shōu huò rén shì shuí?
   发 到 哪儿？ 收 货 人 是 谁？

9. Fā dào Guǎngzhōu, shōu huò rén shì Guǎngzhōu
   发 到 广州， 收 货 人是 广州
   huàzhuāngpǐn gōngsī.
   化妆品 公司。

10. Zǒu de shì gōnglù háishi tiělù?
    走 的 是 公路 还是 铁路？

11. Tiělù, shíyīyuè liù hào fā de huò.
    铁路， 十一月 六 号 发 的 货。

12. Tuōyùndān hàomǎ shì duōshao?
    托运单 号码 是 多少？

三、请让我们一起再学习几个常用的词语，然后做练习。

Let's learn some more commonly used words before we do the exercises.

补充词语	Supplementary Words			
贺卡	hèkǎ	（名）	congratulatory card	*(n.)*
运输	yùnshū	（动）	to transport	*(v.)*
赶不上	gǎnbushàng		be late for	
销售	xiāoshòu	（动）	to sell	*(v.)*
季节	jìjié	（名）	season	*(n.)*
试	shì	（动）	to try	*(v.)*
或者	huòzhě	（连）	or	*(conj.)*
正式	zhèngshì	（形）	formal	*(adj.)*

选择填空 Fill in the Blanks with Appropriate Words

jì （寄）　　　　yóufèi （邮费）

fā （发）　　　　shōu （收）

shōu huò （收货）　　tuōyùn （托运）

00987　　　　tiělù （铁路）

gōnglù （公路）　　E-MAIL

jìdào （寄到）　　shōujù （收据）

1. A：Nǐ hǎo, wǒ yào _____ hèkǎ.

   A：你 好， 我 要_____贺卡。

   B：_____ dào nǎr?

   B：_____到 哪儿？

   A：Jì dào Měiguó. _____ duōshao?

   A：寄 到 美国。_____多少？

   B：Qǐng děng yíxià. Shíyīkuàisān.

   B：请 等 一下。 十一块三。

   A：Duō cháng shíjiān néng _____ dào?

   A：多 长 时间 能_____到？

   B：Yí gè xīngqī ba.

   B：一 个 星期 吧。

2. A：Wèi? Yùnshū gōngsī ba?

   A：喂？ 运输 公司 吧？

   B：Shì de.

   B：是 的。

A：Wǒ xiǎng wèn yíxià, wǒmen fā de nà pī huò dàole ma?

A：我 想 问 一下， 我们 发 的 那 批 货 到 了 吗？

B： dào nǎr? rén shì shuí?

B：_____ 到 哪儿？ _____ 人 是 谁？

A： dào Shànghǎi, rén shì Shànghǎi

A：_____ 到 上海， _____ 人 是 上海

huàzhuāngpǐn gōngsī.

化 妆 品 公司。

B：Nǎtiān fā de huò? dān hàomǎ shì duōshao?

B：哪天 发 的 货？ _____ 单 号码 是 多少？

A：Sìyuè wǔ hào fā de. Hàomǎ shì

A：四月 五 号 发 的。 号码 是 _____。

3. A：Zhè pī huò néng bu néng zǎodiǎnr chūqù?

A：这 批 货 能 不 能 早 点儿 _____ 出去？

B：Duìbuqǐ, wǒmen tài máng le.

B：对不起， 我们 太 忙 了。

A：Bāngbang máng ba, rén děng zhe ne,

A：帮帮 忙 吧， _____ 人 等 着 呢，

wǎnle jiù gǎnbushàng xiāoshòu jìjié le.

晚了 就 赶不上 销售 季节 了。

B：Nǐ yào zǒu háishi

B：你 要 走 _____ 还是 _____？

A：Nǎge kuài?

A：哪个 快？

B：Tiělù.

B：铁路。

A：Nà jiù zǒu ba.

A：那 就 走 _____ 吧。

B：Nà wǒmen shìshi ba.

B：那 我们 试试 吧。

A：Xièxie. Rúguǒ xíng, qǐng gěi wǒ dǎ gè diànhuà

A：谢谢。 如果 行， 请 给 我 打 个 电话

huòzhě fā gè

或者 发 个 _____。

4. A：Wèi? Kuàidì gōngsī ba?

A：喂？ 快递 公司 吧？

B：Shì de, shénme shì?

B：是 的， 什么 事？

A：Wǒmen yǒu diǎnr yàngpǐn yào　　　chūqù,
A：我们　有点儿　样品　要＿＿＿＿＿出去，
　　Néng bu néng lái qǔ yíxià?
　　能　不　能　来取一下？
B：Kěyǐ.
B：可以。
A：　　　Guǎngzhōu duō cháng shíjiān?
A：＿＿＿＿＿广州　多　长　时间？
B：Liǎng tiān.
B：两　天。
A：Nǐmen yǒu zhèngshì de　　　ma?
A：你们　有　正式　的＿＿＿＿＿吗？
B：Dāngrán yǒu.
B：当然　有。

四、完成下列对话。

Complete the following dialogues.

1.A：Wǒ yào jì xìn?
　A：我　要　寄信。
　B：　　　　nǎr?
　B：＿＿＿＿＿哪儿？
　A：Jì dào　　　Yóufèi duōshao?
　A：寄　到＿＿＿＿＿。邮费　多少？
　B：Bākuàiliù.
　B：八块六。

2.A：Bāozhuāng wán le?
　A：包装　　　完了？
　B：Wán le.
　B：完　了。
　A：　　　duōshao?
　A：＿＿＿＿＿多少？
　B：Wǔshíbā, qǐng　　　dānzi.
　B：五十八，　请＿＿＿＿＿单子。
　A：Zhèyàng　　　xíng ma?
　A：这样＿＿＿＿＿行　吗？

B：Kěyǐ. Zhè shì _____ qǐng ná hǎo.

B：可以。这 是 _____，请 拿 好。

3．A：Wèi? Yùnshū gōngsī ma?

A：喂？ 运输 公司 吗？

B：Duì, shénme shì?

B：对， 什么 事？

A：Máfan nín gěi _____ yíxià, wǒmen nà pī huò dàole ma?

A：麻烦 您 给_____一下，我们 那 批 货 到了 吗？

B：Nǎtiān

B：哪天 _____？

A：Qīyuè sān hào.

A：七月 三 号。

B：Zǒu de shì _____ háishi

B：走 的 是 _____ 还是 _____？

A：Tiělù.

A：铁路。

B：Qǐng shuō yíxià _____ hàomǎ.

B：请 说 一下_____ 号码。

A：Hǎo de.

A：好 的。

4．A：Wèi? Liú jīnglǐ, nà pī huò _____ le ma?

A：喂？ 刘 经理， 那 批 货_____了 吗？

B：Shōudào le. Wǒ gěi nǐ fā _____ le, nǐ méi kàndào?

B：收到 了。我 给 你 发 _____了，你 没 看到？

A：Méiyǒu, wǒ de diànnǎo huài le.

A：没有， 我 的 电脑 坏 了。

B：Shì ma? Yǒu shì wǒ gěi nǐ fā _____ ba.

B：是 吗？ 有 事 我 给 你 发_____吧。

A：Hǎo, hǎo.

A：好，好。

五、请根据课文内容回答下列问题。

Answer the following questions by using the information given in the text.

1. Lái qǔ yàngpǐn de rén shì shénme gōngsī de?
   来 取 样品 的 人 是 什么 公司 的?

2. Yàngpǐn jì dào nǎr?
   样品 寄 到 哪儿?

3. Wáng Guāng gěi Liú jīnglǐ dǎ diànhuà shuō shénme le?
   王 光 给 刘 经理 打 电话 说 什么 了?

4. Wáng Guāng tāmen fā de huò, shuí shì shōu huò rén?
   王 光 他们 发 的 货, 谁 是 收 货人?

5. Wáng Guāng tāmen fā de huò, zǒu de shì gōnglù hāishi tiělù?
   王 光 他们 发 的 货, 走 的 是 公路 还是 铁路?

六、下面的情景你知道该怎么说吗? 请试一试。

Try to express yourself in the following situations.

1. 你有东西要赶快寄出去, 你给快递公司打电话让他们上门来取。
   You call the EMS service to collect a parcel from your doorstep for prompt delivery.

2. 你给美国的朋友寄信, 你问邮局的工作人员要付多少钱, 信什么时候能到。
   You ask the clerk of the post office about the postage on and time for a letter to your friend in the U.S.

3. 你向运输公司查问你们上个月发的货是否到了目的地。
   You ask the transport company if the goods you sent last month have reached to the destination.

4. 你给一个客户打电话, 让他收到样品后给你发个电子邮件。
   In a telephone conversation with your customer you ask him to send you an e-mail message as soon as he receives your sample product.

七、汉字点击。

Open the CD to view the characters.

请通过光盘点击认读、书写下面的汉字。请注意汉字书写时的笔顺。

Open the CD to view and write the characters with special attention to their stroke-order.

取　楼　寄　州　邮　块　借　计　据　谁　铁　托　运　查

文化点击 | Cultural Points

关于快递公司

在中国，邮局是传统的邮递渠道，提供国际和国内的信件、包裹、汇款、电报、传真等邮政服务。除此之外，目前在中国还有很多提供快递业务的公司，其业务范围大多以同一个城市内的服务为主，服务方式也比较灵活，这类公司大都使用摩托车甚至自行车作为快递服务的交通工具。公司间的文件、票据、样品等物品的传递往往都是通过这些公司，所以快递公司是企业接触较多的服务单位。

About EMS Company Service

Traditionally Chinese post offices function as a mailing channel through which domestic and international letters, parcels, remittances, telegrams and facsimiles are dealt with. In addition to that, there are many Chinese express delivery companies whose flexible service within the city proper is offered by motocyclists and bike-riding postmen. They deliver files, vouchers, sample products from place to place, and they therefore enjoy great popularity among enterprises.

Dì-shí wǔ kè
第 15 课　帮帮　忙 吧

Bāngbāng máng ba

Lesson 15　Will You Give Me a Hand, Please

导学　Guiding Remarks

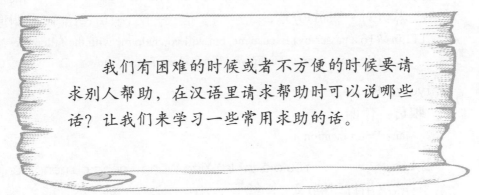

　　我们有困难的时候或者不方便的时候要请求别人帮助，在汉语里请求帮助时可以说哪些话？让我们来学习一些常用求助的话。

　　How would you express yourself in Chinese when you are in difficulty and badly in need of assistance from someone? Now let's learn some useful expressions.

课文 Text

A

李琳抱着一摞文件进办公室，不小心掉下来两份。

Li Lin comes to her office with two files being slipped out of the many that she is carrying.

Lǐ Lín: Láojià, bāng wǒ jiǎn yí xià. Xièxie.
李 琳：(对一职员)劳驾，帮 我 捡 一下。(职员递给李琳)谢谢。
Li Lin: (To a passer-by) Excuse me, but will you help me with the fallen files? (He picks them up and gives them to her) Thank you!

Zhíyuán: Bú xiè.
职员：不 谢。
Man: Don't mention it.

Lǐ Lín: Yòu qiǎ zhǐ le, Xiǎo Wáng, néng bu néng bāng wǒ kànkan.
李 琳：(用打印机)又 卡 纸 了，小 王， 能 不 能 帮
我 看看。
Li Lin: (Printing) Oh, it got stuck again. Xiao Wang, will you have a look at it and sort it out for me?

Wáng Guāng: Bù xíng, wǒ nòng bu hǎo.
王 光：(鼓捣了半天)不 行，我 弄 不 好。
Wang Guang: (Tinkering with the printer for a long time) No, I am no good at it.

Lǐ Lín: Dīng Guāng, máfan nǐ guòlai bāng gè máng.
李 琳：(叫丁光)丁 光， 麻烦 你 过来 帮 个 忙。
Li Lin: (Calling Ding Guang) Ding Guang, do you mind coming over and giving me a hand?

Dīng Guāng: Kěnéng wǒ yě nòng bu hǎo.
丁 光：(走过来)可能 我 也 弄 不 好。
Ding Guang: (Coming over) I probably won't be able to fix it either.

Lǐ Lín: Méiguānxi, shìshi ba.

李 琳:没关系， 试试 吧。

Li Lin: You will take no blame, but just have a go.

Dīng Guāng: Zài chā liǎng zhāng zhǐ shìshi, hǎo le.

丁 光:(检查)再 插 两 张 纸 试试，好 了。

Ding Guang: (Examining) Put in two more sheets of paper before we try. Now it's working.

Lǐ Lín: Xièxie bāng máng, gǎitiān qǐng nǐ chī fàn.

李 琳:谢谢 帮 忙， 改天 请 你 吃饭。

Li Lin: Thank you for your help. I'll invite you to dinner with me some day or other.

Dīng Guāng: Hǎo a, nà wǒ jiù bú kèqi le.

丁 光:(笑) 好 啊，那 我 就 不 客气 了。

Ding Guang: (Smiling) Sounds great! I'll accept your invitation without any hesitation.

175

B

小王正在办公室打电话。
Xiao Wang is making a phone call in his office.

Wáng Guāng：Wéi? Guān chùzhǎng ma?
王 光：喂？关 处长 吗？
Wang Guang：Hello! Is it the Section Chief?

Guān chùzhǎng：Shì wǒ, nín shì nǎ wèi?
关 处长：是 我， 您 是 哪 位？
Guan：Speaking. Who's calling?

Wáng Guāng：Wǒ shì Wáng Guāng, BM huàzhuāngpǐn gōngsī de.
王 光：我 是 王 光，BM 化妆品 公司 的。
Wang Guang：It's Wang Guang, calling from the BM Cosmetics Company.

Guān chùzhǎng：Nǐ hǎo, Wáng jīnglǐ.
关 处长：你 好， 王 经理。
Guan：Hello, Manager Wang.

Wáng Guāng：Wǒmen nà pī huò, shénme shíhou néng cháyàn fàngxíng?
王 光：我们 那 批 货， 什么 时候 能 查验 放行？
Wang Guang：When will you complete your examination of our goods and allow them through?

Guān chùzhǎng：Kěnéng yào děng jǐ tiān.

关 处长：可能 要 等 几 天。

Guan：You've got to wait for a couple of days.

Wáng Guāng：Zhàogù yíxià ma, néng bu néng kuài diǎnr?

王 光：照顾 一下嘛， 能 不 能 快 点儿?

Wǒmen shì lǎo péngyou.

我们 是 老 朋友。

Wang Guang：Will you please help us, my old friend? I hope you'll have it done soon.

Guān chùzhǎng：Bàoqiàn, zài děngděng ba.

关 处长：抱歉， 再 等等 吧。

Guan：Sorry, but it'll take a few more days.

Wáng Guāng：Bāngbāng máng ba, wǒmen de kèhù děngzhe fā huò ne.

王 光：帮帮 忙 吧，我们 的 客户 等着 发货 呢。

Wang Guang：Do me a favour, will you? Our customers are waiting for the goods.

词 语　　Word List

1. 捡	jiǎn	(动)	to pick up		(v.)
2. 又	yòu	(副)	again		(adv.)
3. 卡	qiǎ	(动)	to get stuck		(v.)
4. 纸	zhǐ	(名)	paper		(n.)
5. 可能	kěnéng	(副)	possibly		(adv.)
6. 弄	nòng	(动)	to do; to make		(v.)
7. 插	chā	(动)	to insert		(v.)
8. 改天	gǎitiān	(名)	some day in future		(n.)
9. 关	Guān	(专名)	*surname*		(pn.)
10. 处长	chùzhǎng	(名)	head of a department		(n.)
11. 批	pī	(量)	batch		(mw.)
12. 查验	cháyàn	(动)	to examine		(v.)
13. 放行	fàngxíng	(动)	to let pass		(v.)
14. 着	zhe	(助)			(aux.)

商务汉语入门

语言点链接　　Language Points

“又”和“再”

"Yòu" and "zài"

“又”和“再”是表示频率的副词，二者都表示动作的重复，但“又”多用于已然的情况，“再”用于未然的情况。例如：我上午看了一遍，下午又看了一遍。我没听懂，请再说一次。上午来了一个客户，下午又来了一个。那个客户说明天再来。

Both are adverbs of frequency, indicating repetition of an action. However "yòu" is often used to describe something that has taken place, whereas "zài" generally modifies an act that is going to take place. E.g.. "Wǒ shàngwǔ kàn le yí biàn, xiàwǔ yòu kàn le yí biàn." "Wǒ méi tīngdǒng, nǐ zài shuō yí cì." "Shàngwǔ lái le yí gè kèhù, xiàwǔ yòu lái le yí gè kèhù ." "Nàge kèhù shuō míngtiān zài lái."

练习　　Exercises

一、跟读并辨别下面音节。

Read the following syllables after the tape and distinguish one from another.

láojià–chǎojià　　　　shì–chī

fāngxíng–fāngxīn　　　bàoqiàn–dàoqiàn

二、听录音并熟读下面的句子。

Listen to the recording and read the following sentences until you are fluent.

1. Láojià, bāng wǒ jiǎn yíxià.
劳驾，　帮 我 捡 一下。

2. Néng bu néng bāng wǒ kànkan?
能 不 能 帮 我 看看？

3. Máfan nǐ guòlái bāng gè máng .
麻烦 你 过来 帮 个 忙。

4. Zhàogù yíxià ma, néng bu néng kuài diǎnr? Wǒmen shì lǎo
照顾 一下 嘛， 能 不 能 快 点儿？ 我们 是 老
péngyou le.
朋友 了。

5.Bāngbāng máng ba, wǒmen de kèhù děngzhe fā huò ne.

　帮帮　　忙　吧，我们　的　客户　等着　发货　呢。

三、请让我们一起再学习几个常用的词语，然后做练习。

Let's learn some more commonly used words before we do the exercises.

补充词语　Supplementary Words

够不着	gòubuzháo		to be unable to reach	
盐	yán	（名）	salt	*(n.)*
调料	tiáoliào	（名）	seasoning	*(n.)*
掉	diào	（动）	to lose	*(v.)*

选择填空　Fill in the Blanks with Appropriate Words

láojià（劳驾）　　　　　bāng máng（帮忙）

bāng（帮）　　　　　　zhàogù（照顾）

jiǎn（捡）

1.A：Yō, tài gāo le. Dīng Guāng,　　guòlái　　　gè

　A：哟，太　高　了。丁　光，＿＿＿＿过来＿＿＿＿个＿＿＿。

　B：Shénme shì?

　B：什么　事？

　A：Wǒ gòubuzháo,　　wǒ bǎ nàge ná xiàlái.

　A：我　够不着，＿＿＿＿＿＿＿我　把　那个　拿　下来。

　B：Hǎo de.

　B：好　的。

2.A：　　　　　　　　　　gè máng.

　A：＿＿＿＿＿＿＿，＿＿＿＿＿＿个　忙。

　B：Nǐ yào shénme? Yán háishi tiáoliào?

　B：你　要　什么？　盐　还是　调料？

　A：Yán,　　wǒ　　　guòlái, wǒ gòubuzháo.

　A：盐，＿＿＿＿＿＿我＿＿＿＿＿＿过来，我　够不着。

　B：Gěi nǐ.

　B：给　你。

　A：Xièxie.

　A：谢谢。

3.A：Xiǎojiě, nǐ de dōngxi diào le.

　A：小姐，　你　的　东西　掉　了。

B：Néng bu néng _____ wǒ _____ yíxià?

B：能 不 能 _____ 我 _____ 一下?

A：Gěi.

A：给。

B：Xièxie.

B：谢谢。

A：Bú kèqi.

A：不 客气。

4. A：Xiǎo Zhāng, míngtiān nǐ hé wǒ chūchāi.

A：小 张， 明天 你和我 出差。

B：Āiyā, wǒ jiā lǐ yǒu shì, huàn biérén xíng bu xíng?

B：哎呀，我 家里 有 事， 换 别人 行 不 行?

A：Zhège…

A：这个……

B：_____ yíxià ba, wǒ àirén bìng le.

B：_____一下 吧， 我 爱人 病 了。

四、完成下列对话。

Complete the following dialogues.

1. A：Wáng jīnglǐ, nǐ hǎo.

A：王 经理，你 好。

B：Nǐ hǎo, Yáng jīnglǐ. Nà pī huò mài de zěnmeyàng?

B：你 好， 杨 经理。那 批 货 卖 得 怎么样?

A：Hǎo jí le, wǒ xiǎng zài jìn diǎnr huò.

A：好 极 了，我 想 再 进 点儿 货。

B：Duìbuqǐ, huò dōu fā wán le.

B：对不起， 货 都 发 完 了。

A：Bú huì ba, wǒmen shì lǎo péngyou le, _____ yíxià ma.

A：不 会 吧，我们 是 老 朋友 了_____一下 嘛。

2. A：Yō, zhème gāo. Xiǎo Wáng.

A：哟， 这么 高。 小 王。

B：Āi, shénme shì?

B：哎， 什么 事?

A：_____ wǒ bǎ nàge ná xiàlái.

A：_____， _____我 把 那个 拿 下来。

180

3．A：Dīng Guāng, Dīng Guāng, guòlái yíxià.

A：丁　　光，丁　　光，　过来　一下。

B：Wǒ mángzhe ne, shénme shì?

B：我　　忙着　呢，什么　事?

A：Wǒ de diànnǎo huài le,　　　　wǒ kànkan?

A：我　的　电脑　坏了，_____我　看看?

B：Hǎo ba, mǎshàng lái.

B：好　吧，马上　来。

4．A：Xiǎojiě, qǐng guòlái

A：小姐，　请　过来 _____。

B：Shénme shì?

B：什么　　事?

A：　　　　　wǒ bǎ zhèr cā yíxià.

A：_____我　把这儿　擦　一下。

B：Hǎo de.

B：好　的。

五、请根据课文内容回答下列问题。

Answer the following questions by using the information given in the text.

1．Wénjiàn diào le,　Lǐ Lín zěnme qǐng nàge zhíyuán bāng máng?
文件　　掉了，李琳　怎么　请　那个　职员　帮　忙?

2．Dǎyìnjī qiǎ zhǐ le, Lǐ Lín duì Dīng Guāng shuō le shénme?
打印机　卡纸了，李琳　对　丁　光　说了什么?

3．Lǐ Lín jiào Wáng Guāng bāng tā zuò shénme?
李琳　叫　王　光　帮　她　做　什么?

4．Wáng Guāng qǐngqiú Guān chùzhǎng bāng máng,
王　　光　请求　关　　处长　帮　忙，
tā shì zěnme shuō de?
他是　怎么　说　的?

六、下面的情景你知道该怎么说吗? 请试一试。

Try to express yourself in the following situations.

1．在商场，你提着很多东西，掉了一件，你请人帮你捡一下。
You ask a passer-by to help you with packets that have slipped out of your bags
when you are carrying lots of things at a shopping centre.

2.在餐厅，盐离你比较远，你请别人帮你递过来。

You ask a neighbour to pass you the salt from the other end of the table.

3.你想请求卖方早点儿发货，应该怎么说？

How would you urge a seller to send out goods at an early date?

4.你生病了，你给一位同事打电话让他帮你请假。

You request a colleague of yours to ask for sick leave when you are ill.

七、汉字点击。

Open the CD to view the characters.

请通过光盘点击认读、书写下面的汉字。请注意汉字书写时的笔顺。

Open the CD to view and write the characters with special attention to their stroke-order.

劳　驾　捡　又　卡　弄　插　改　处　批　验

文化点击 **Cultural Points**

关于请求

中国人比较看重人际关系和人情面子。一般人认为，有事请朋友帮忙是情理之中的事。所以，无论是升学、就业这种大事，还是向人借钱、借东西这种小事，甚至找对象、结婚这种个人私事，中国人都可能请朋友帮忙。因为他们认为朋友值得依靠和信赖。所以，当某个中国人请你教他英语或者请你给他介绍工作的时候，你不要见怪或生气，因为中国人不把你当"外人"，他们把你当成可以信赖的朋友。如果你不能帮助他们，可以委婉地表示拒绝。

Request

Chinese people value interpersonal relationships and human understanding. It stands to reason to ask friends for help when one is in difficulty.This applies to important matters such as going to schools of higher repute or hunting for a job, or in borrowing money or things needed, or in getting help to find a girl or boy friend or marriage partner etc.. Chinese people believe that true friends are always trustworthy, and they are the people that one can turn to when in trouble. So, do not feel angry or take offence when your Chinese friends ask you to help with their English or to nominate them for vacancies, since they do not regard you as an outsider. If you are unable to help them polite refusal is accepted.

Dì-shí liù kè　　Gāi huàn xīn de le

第 16课　　该 换 新 的 了

Lesson 16　　It Should Be Replaced With a New One

导 学　Guiding Remarks

　　在公司，每天都要用办公用品。办公用品有很多种，你会用汉语说出它们的名字吗?

　　In an office, stationery and other items are used everyday. Do you know how to name all of them in Chinese?

课文 Text

A

办公室，小白在复印。
Xiao Bai is duplicating a document in the office.

Xiǎo Bái：Lǐ Lín, fùyìnzhǐ méi le.
小 白：李 琳， 复印纸 没 了。
Xiao Bai：Li Lin, there's no more paper.

Lǐ Lín：　　　　Dōu yòng wán le, méiyǒu le, gāi mǎi le.
李 琳：(打开柜子)都 用 完 了，没有 了，该 买 了。
Li Lin：(Opening the cabinet) we've run out of paper. Nothing is left. We should buy some.

Wáng Guāng：Lǐ Lín, yǒu ruǎnpán ma? Gěi wǒ jǐgè.
王 光：李 琳， 有 软盘 吗? 给 我 几个。
Wang Guang：Li Lin, Can you give me a few floppy disks?

Lǐ Lín：Jiù yí gè le, nǐ xiān yòng ba, wǒ mǎshàng qù mǎi.
李 琳：就 一 个 了，你 先 用 吧，我 马上 去 买。
Li Lin：There's one left. You can take it, I'll buy some more later.

Dīng Guāng：　　　　　　Lǐ Lín, wǒ de diànnǎo yǒu wèntí, néng mǎi
丁 光：(正在操作电脑)李 琳，我 的 电脑 有 问题， 能 买
yí tái xīn de ma?
一 台 新 的 吗?
Ding Guang：(Working with his computer) Li Lin, this computer is out of order. Can you buy me a new one?

Lǐ Lín：Zhègè…
李 琳：这个……
Li Lin：Well...

Wáng Guāng：Wǒ de jiānpán yě bù hǎo shǐ.
王 光：我 的 键盘 也 不 好 使。
Wang Guang：My keyboard doesn't work properly.

184

Lǐ Lín：Zhīdào le.

李 琳：知道 了。

Li Lin：I'll make a mental note of it.

Xiǎo Bái：Wǒ de dǎyìnjī yě méi zhǐ le.

小 白：我 的 打印机 也 没 纸 了。

Xiao Bai：I've also run out of printing paper.

Dīng Guāng： Gěi wǒ yí gè U pán, zài yào liǎng zhī bǐ.

丁 光：(对李琳)给 我 一 个 U 盘，再 要 两 枝 笔。

Ding Guang：(To Li Lin) Give me a univeral disk and two pens, please.

Lǐ Lín：Yō, jiù yí gè U pán le.

李 琳：哟，就 一 个 U 盘 了。

Li Lin：Ah, only one U disk left.

Wáng Guāng： Kànkan hái xūyào shénme, ràng Lǐ Lín qù mǎi.

王 光：(对大家)看看 还 需要 什么， 让 李 琳 去 买。

Wang Guang：(To everybody) What else do you want? Let Li Lin go to buy them.

Dīng Guāng：Shénme dōu xūyào!

丁 光：什么 都 需要！（众人笑）

Ding Guang：We need everything! (Laughing in chorus)

185

B

办公室。李琳正给一个新职员配备办公用品，发工作卡。

Li Lin gives a new employee the necessary stationery and a card for punching attendance.

Lǐ Lín：　　Nǐ yòng zhè zhāng zhuōzi.
李　琳：(指着)你　用　这　张　桌子。
Li Lin：(Pointing to) This table is for you.

Xīn zhíyuán：Hǎo.　　　　Zhè　yǐzi……
新　职员：好。(发现椅子坏了)这　椅子……
New Clerk：Thank you, (discovering the fault)but this chair...

Lǐ Lín：Ò, míngtiān gěi nǐ huàn xīn de.
李　琳：哦，明天　给你　换　新的。
Li Lin：Gosh, but I'll have it replaced tomorrow.

Xīn zhíyuán：Nà xièxie le. Néng gěi wǒ yí gè běnzi ma? Hái yǒu bǐ.
新　职员：那　谢谢了。能　给我一个本子吗？还　有笔。
New Clerk：Thank you very much. Can I have a notebook and a pen?

Lǐ Lín：Gēn wǒ lái ná yíxià.
李　琳：跟　我　来拿一下。(顺便给新职员介绍办公设备)
　　　　Fùyìnjī、chuánzhēnjī zài zhèr.
　　　　复印机、　传真机　在　这儿。
Li Lin：Come here! (Show him the facilities) This is the Xerox copier, and here is the fax machine.

Lǐ Lín：　　　　　　　　Gěi nǐ liǎng zhī bǐ,　yí gè běnzi.

李　琳：(从柜子里拿出文具)给 你　两　枝 笔，一 个 本子。

Li Lin: (Taking out stationery from the cabinet) Here are two pens and a notebook for you.

Xīn zhíyuán：Xièxie.

新　职　员：谢谢。

New Clerk：Thanks.

Lǐ Lín：Zhè shì nǐ de gōngkǎ,　　　　zài nǎr dǎ kǎ.

李　琳：这 是　你 的　工卡,(指打卡机)在 那儿 打卡。

Li Lin: This is your card. (Pointing to the punch) You can punch your attendance there.

Xīn zhíyuán：Zhīdào le.

新　职　员：知道　了。

New Clerk：I see.

词　语　　Word List

1. 复印	fùyìn	(动)	to xerox	(v.)
2. 问题	wèntí	(名)	problem, matter	(n.)
3. 键盘	jiànpán	(名)	keyboard	(n.)
4. 使	shǐ	(动)	to use	(v.)
5. 打印机	dǎyìnjī	(名)	printer	(n.)
6. 盘	pán	(名)	disk	(n.)
7. 枝	zhī	(量)		(mw.)
8. 椅子	yǐzi	(名)	chair	(n.)
9. 哦	ò	(叹)	oh	(int.)
10. 本子	běnzi	(名)	notebook	(n.)
11. 复印机	fùyìnjī	(名)	xerox copier	(n.)
12. 传真机	chuánzhēnjī	(名)	fax machine	(n.)
13. 笔	bǐ	(名)	pen	(n.)
14. 工卡	gōngkǎ	(名)	working card for punching attendance	(n.)
15. 打卡	dǎ kǎ		to punch one's attendance	

语言点链接　　*Language Points*

1."就"

"Jiù"

"就"是副词，重读时表示数量少，含"只"、"仅仅"的意思。例如：屋子里就我一个人。我就去过一次上海。就这点儿酒啊，不够喝。

It is an adverb, indicating a small number with the meaning of "only" when stressed in pronunciation. E.g.."Wū lǐ jiù wǒ yí gè rén." "Wǒ jiù qùguo yí cì Shànghǎi ." "Jiù zhè diǎnr jiǔ a, bù gòu hē."

2."二"和"两"：

The difference between "èr" and "liǎng"

"二"和"两"都表示"2"，但用法有区别。数数、读号码时用"二"不用"两"，例如：一、二、三、四；第一、第二；大哥、二哥。在一般量词前用"两"不用"二"。例如：两张桌子、两个人。不能说"二张桌子"、"二个人"。

Both mean "two", but they are different in usage. The former is only used for counting or numbers, E.g.."yī, èr, sān, sì"; "dì-yī, dì-èr"; "dàgē, èrgē". The latter only goes with measure words. E.g.."liǎng zhāng zhuōzi", "liǎng gè rén" instead of "èr zhāng zhuōzi" and "èr gè rén".

练　习　　*Exercises*

一、跟读并辨别下面音节。

Read the following syllables after the tape and distinguish one from another.

jiānpán–ruǎnpán

yǐzi–yǐzhì

wán–huàn

fùyìn–dǎyìn

二、听录音并熟读下面的句子。

Listen to the recording and read the following sentences until you are fluent.

1.Fùyìjī méi zhǐ le.

　复印机 没 纸 了。

2.Yǒu ruǎnpán ma? Gěi wǒ jǐ gè.

　有　 软盘　 吗？给 我 几 个。

3. Wǒ de diànnǎo yǒu wèntí, néng mǎi tái xīn de ma?
   我 的 电脑 有 问题，能 买 台 新 的 吗?

4. Wǒ de jiānpán yě bù hǎo shǐ.
   我 的 键盘 也 不 好 使。

5. Wǒ de dǎyìnjī yě méi zhǐ le.
   我 的 打印机 也 没 纸 了。

6. Gěi wǒ yí gè U pán, zài yào liǎng zhī bǐ.
   给 我 一 个 U 盘，再 要 两 枝 笔。

7. Yō, jiù yí gè U pán le.
   哟，就 一 个 U 盘 了。

8. Nǐ yòng zhè zhāng zhuōzi.
   你 用 这 张 桌子。

9. Néng gěi wǒ yí gè běnzi ma? Hái yǒu bǐ.
   能 给 我 一 个 本子 吗? 还 有 笔。

10. Fùyìnjī、chuánzhēnjī zài nǎr.
    复印机、 传真机 在 那儿。

11. Gěi nǐ liǎng zhī bǐ, yí gè běnzi.
    给 你 两 枝 笔，一 个 本子。

12. Zhè shì nǐ de gōngkǎ, zài zhèr dǎ kǎ.
    这 是 你 的 工卡，在 这儿 打 卡。

三、请让我们一起再学习几个常用的词语，然后做练习。

Let's learn some more commonly used words before we do the exercises.

补充词语	Supplementary Words			
出	chū	(动)	to occur	(v.)
鼠标	shǔbiāo	(名)	mouse	(n.)
圆珠笔	yuánzhūbǐ	(名)	ball pen	(n.)
领	lǐng	(动)	to get	(v.)
铅笔	qiānbǐ	(名)	pencil	(n.)
文具	wénjù	(名)	stationery	(n.)

胶带	jiāodài	（名）	sticky tape	*(n.)*
橡皮	xiàngpí	（名）	rubber	*(n.)*
涂改液	túgǎiyè	（名）	correction fluid	*(n.)*
毛病	máobìng	（名）	problem	*(n.)*

选择填空 Fill in the Blanks with Appropriate Words

zhuōzi（桌子）　　yǐzi（椅子）　　wénjù（文具）

běnzǐ（本子）　　máobìng（毛病）　　dǎyìnjī（打印机）

hǎo shǐ（好使）　　yòng（使）

1. A：Yòu chū wèntí le.

A：又 出 问题 了。

B：Zěnme le?

B：怎么 了?

A：Wǒ de shǔbiāo bù

A：我 的 鼠标 不 _____。

B：Ò, ràng Lǐ Lín mǎi gè xīn de ba.

B：哦，让 李 琳 买 个 新 的 吧。

2. A：Āi, wǒ de bǐ ne? Yòu zhǎobuzháo le.

A：哎，我 的 笔 呢? 又 找不着 了。

　Xiǎo Bāi, 　　　　yíxià nǐ de yuánzhūbǐ.

　小 白，_____一下 你 的 圆珠笔。

B：Zài wǒ 　　　shàng nē. Nǐ zìjǐ ná ba.

B：在 我 _____上 呢。你 自己 拿 吧。

A：Hǎo de. 　　　yě gāi huàn xīn de le.

A：好 的。_____也 该 换 新 的 了。

3. A：Lǐ Lín, lǐng liǎng zhī qiānbǐ.

A：李 琳，领 两 枝 铅笔。

B：Yō, jiù yì zhī le.

B：哟，就 一 枝 了。

A：Mǎi diǎnr 　　　　ba.

A：买 点儿 _____吧。

B：Shì gāi mǎi le. Bǐ 　　　　jiāodài、

B：是 该 买 了。笔、_____、胶带、

　xiàngpí、túgǎiyè dōu méi le.

　橡皮、 涂改液 都 没 了。

4.A：Fùyìnjī yòu chū   le.

A：复印机 又 出_____了。

B：Jiào rén xiūlǐ yíxià ba.

B：叫 人 修理 一下 吧。

A：Wǒ de   yě bù hǎo yòng.

A：我 的 _____也 不 好 用。

B：Yìqǐ xiū ba.

B：一起 修 吧。

四、完成下列对话。

Complete the following dialogues.

1.A：Nǐ hǎo.

A：你 好。

B：Zǎoshang hǎo. Nǐ shì xīn lái de?

B：早上   好。你 是 新 来 的?

A：Duì, qǐngwèn zài nǎr

A：对,   请问 在 哪儿 _____?

B：Zài yòubiān.

B：在   右边。

A：Xièxie.

A：谢谢。

2.A：Zhè shì wǒ de   ma?

A：这 是 我 的 _____吗?

B：Duì, nǐ   zhè tái diànnǎo.

B：对, 你 _____这 台 电脑。

A：Yō, zhè

A：哟, 这 _____……

B：Míngtiān gěi nǐ huàn xīn de.

B：明天   给 你 换 新 的。

3.A：Wǒ dài nǐ kànkan.   zài zhèr,

A：我 带 你 看看。_____、_____在 这儿,

diànhuà zài nǎr.

电话 在 那儿。

B：Zhīdào le. Xièxie. Néng lǐng diǎnr _____ ma?

B：知道 了。谢谢。 能 领 点儿_____吗？

A：Nǐ yào shénme?

A：你 要 什么？

B：Yí gè _____ liǎng zhī _____ jǐ gè _____

B：一 个_____、 两 枝_____、 几 个_____。

A：Hǎo de, yíhuìr gěi nǐ.

A：好 的，一会儿 给 你。

4. A：Fùyìnjī méi _____ le.

A：复印机 没_____了。

B：Wǒ de _____ yě méi zhǐ le.

B：我 的_____也 没 纸 了。

C：Dàjiā hái xūyào shénme?

C：大家 还 需要 什么？

D：Wǒ yào jǐ gè _____

D：我 要 几个_____。

E：Wǒ yào jǐ zhī _____

E：我 要 几枝_____。

C：Yìqǐ lái _____ ba.

C：一起 来_____吧。

五、请根据课文内容回答下列问题。

Answer the following questions by using the information given in the text.

1. Shénme dōngxi yòng wán le?

   什么 东西 用 完 了？

2. Wáng Guāng xiàng Lǐ Lín yào shénme dōngxi?

   王 光 向 李 琳 要 什么 东西？

3. Dīng Guāng xiàng ràng Lǐ Lín mǎi shénme dōngxi?

   丁 光 想 让 李 琳 买 什么 东西？

4. Xīn zhíyuán de yǐzi zěnme le?

   新 职员 的 椅子 怎么 了？

5. Lǐ Lín gěi xīn zhíyuán shénme dōngxi le?

   李 琳 给 新 职员 什么 东西 了？

六、下面的情景你知道该怎么说吗？请试一试。

Try to express yourself in the following situations.

1. 你刚到公司工作，你想知道你可以用哪张桌子和哪台电脑，应该怎么说？

   How would you express yourself in Chinese as a new comer when you want to know which table and computer are allocated for you to use.

2. 第一天到公司上班，你问一个同事打卡的地方。

   You ask a colleague where you can have your attendance card punched on the first day you go to work.

3. 你想领点儿文具，用汉语怎么说？

   How would you say that you want to get some stationery in Chinese?

4. 在本课学了两种跟电脑有关的保存文件的"盘"，叫什么名字？

   What is the Chinese for two types of disks used in the text?

七、汉字点击。

Open the CD to view the characters.

请通过光盘点击认读、书写下面的汉字。请注意汉字书写时的笔顺。

Open the CD to view and write the characters with special attention to their stroke-order.

复　印　完　题　键　枝　椅　哦　本　工

文化点击　Cultural Points

中国出口商品交易会

中国出口商品交易会，又称广交会，创办于1957年春季，每年春秋两季在广州举办，迄今已有四十余年的历史，是中国目前历史最长、层次最高、规模最大、商品种类最全、到会客商最多、成交效果最好的综合性国际贸易盛会。

广交会的贸易方式灵活多样，除了传统的看样成交外，还举办网上交易会。广交会以出口贸易为主，也做进口生意，还可以开展多种形式的经济技术合作与交流以及商检、保险、运输、广告、咨询等业务活动。

广交会的举办时间是固定的。春秋两季交易会的时间都分成两期，每期会期都是6天。春季第一期时间是：4月15日—20日。第二期是：4月25日—30日。秋季第一期是：10月15日—20日。第二期是：10月25日—30日。

2003年秋季交易会，到会的国家和地区有201个，参展商数量达10195家，参展商品种类达10万余种，成交额204.9亿美元。由此可见广交会的地位和影响。

China Export Commodities Fair

The Chinese Export and Import Commodities Fair known as the "Guangzhou Trade Fair" first held in the spring of 1957 takes place every spring and autumn and has now done so for more than 40 years. It is a giant international fair in terms of its history, level, scale, variety of goods, number of participants and achievements.

Guangzhou Trade Fair is conducted in many flexible ways: traditional transactions begun with an examination of sample products, and through online transactions. Priority is given to export business while import transactions assume an appropriate proportion. Meanwhile importance is also attached to various forms of economic and technical cooperation, together with commodity inspection, insurance, transportation, advertising and advisory assistance.

The date of the Guangzhou Trade Fair is fixed. Each of the fairs is divided into two parts: The first Spring Fair takes place between 15th-20th of April, and the second Spring Fair is held between 25th-30th of April. Similarly the first Autumn Fair is between 15th-20th of October, and the second Autumn Fair falls on 25th-30th of October.

There were 10,195 firms from 201 countries and areas who attended the Guangzhou Autumn Trade Fair in 2003. They brought more than 100,000 commodities for export and the volume of business reached to as high as 20.49 billion US dollars. Its position and influence can thus be judged from the above facts and data.

Dì-shíqī kè   Yuēhǎo le ma
第 17 课　约好了吗
Lesson 17　　Have You Got an Appointment

导 学 Guiding Remarks

　　有事找人或者想与别人见面，事先应和人家约好，这是日常交际的基本礼仪。在汉语里，哪些话可以表达约见的意思呢？请注意本课的说法。

It is courteous to make an appointment in advance before one calls upon or meets people. Care must be taken to use the appropriate expressions for such a purpose as illustrated in the text.

课文 Text

A

办公室。小王在给广告公司打电话。
Xiao Wang gives a phone call to an advertising agency.

Wáng Guāng：Gāo xiānsheng zài ma?
王 光：高　先生　在 吗?
Wang Guang：May I speak to Mr. Gao?

Mìshū：Bú zài, nín shénme shì?
秘书：不在，您 什么　事?
Secretary：He is not here. Can I help you?

Wáng Guāng：Wǒ xiǎng hé tā jiàn gè miàn, shì guǎnggào de shì.
王 光：我　想　和 他 见 个 面，　是　广告　的 事。
Wang Guang：I want to see him. It's about the ads.

Mìshū：Gēn tā yuēhǎo le ma?
秘书：跟　他　约好　了 吗?
Secretary：Have you got an appointment with him?

Wáng Guāng：Méiyǒu.
王 光：没有。
Wang Guang：No, I haven't.

Mìshū：Tā zhège xīngqī hěn máng.
秘书：他 这个　星期　很　忙。
Secretary：He's terribly busy this week.

Wáng Guāng：Tā nǎ tiān fāngbiàn? Nín néng bu néng gěi ānpái gè shíjiān?
王 光：他 哪天　方便?　您　能 不 能　给 安排 个 时间?
Wang Guang：When will it be convenient for him? Can you help me make an appointment?

Mìshū：　　　Děng yíxià. Xīngqīsì xiàwǔ kěyǐ.
秘书：(查日程表)等　一下。星期四　下午　可以。
Secretary：(Checking the diary) Hang on a moment. Thursday afternoon will be O.K..

Wáng Guāng：Xīngqīsì xiàwǔ, hǎo de. Xièxie.

王 光：星期四 下午，好 的。谢谢。

Wang Guang：Thursday afternoon. That will suit me very well. Thank you.

Mìshū：Bú kèqi.

秘书：不 客气。

Secretary：Not at all.

B

李琳在办公室给税务局的工作人员打电话。

Li Lin is talking to the tax collector over the phone.

Lǐ Lín：Wèi? Shuìwùjú ma?

李 琳：喂？税务局 吗？

Li Lin：Hello! Is that the Tax Office?

Gōngzuò rényuán：Shì de, nín nǎli?

工作 人员：是 的，您 哪里？

Clerk：Yes. Who's calling?

Lǐ Lín：Wǒ shì BM gōngsī de, wǒmen de shuì shǎo jiāo le ma?

李 琳：我 是 BM 公司 的， 我们 的 税 少 交 了吗？

Li Lin：It's BM Company. Didn't we pay the required amount of tax?

Gōngzuò rényuán：Shì de.

工作 人员：是 的。

Clerk：No, you didn't.

Lǐ Lín：Bú huì ba, wǒmen rènzhēn héchá guo.

李 琳：不 会 吧，我们 认真 核查 过。

Li Lin：That seems impossible. We have carefully checked it.

Gōngzuò rényuán：Bú huì cuò, bàobiǎo wǒ kànguo le.

工作 人员：不 会 错， 报表 我 看过 了。

Clerk：There's no mistake. I have gone over all the report forms.

Lǐ Lín: Néng yuē gè shíjiān ma? Shuāngfāng héduì yíxià.

李 琳：能 约 个 时间 吗？ 双方 核对 一下。

Li Lin: Can I make an appointment with you, so that we can recheck it together?

Gōngzuò rényuán: Kěyǐ, zhōusān shàngwǔ lái ba.

工作 人员：(看日程表)可以， 周三 上午 来 吧。

Clerk: (Checking his diary) O. K., please come here on Wednesday morning.

Lǐ Lín: Hǎo de, zàijiàn.

李 琳：好 的，再见。

Li Lin: That's fine. Good-bye!

词 语 Word List

1.约	yuē	（动）	to make an appointment with somebody	(v.)
2.高	Gāo	（专名）	*surname*	(pn.)
3.广告	guǎnggào	（名）	advertisement	(n.)
4.方便	fāngbiàn	（形）	convenient	(adj.)
5.安排	ānpái	（动）	to arrange	(v.)
6.税务局	shuìwùjú	（名）	tax office	(n.)
7.税	shuì	（名）	tax	(n.)
8.认真	rènzhēn	（形）	careful	(adj.)
9.核查	héchá	（动）	to check	(v.)
10.报表	bàobiǎo	（名）	report form	(n.)
11.双方	shuāngfāng	（名）	both sides	(n.)
12.核对	héduì	（动）	to verify	(v.)
13.周	zhōu	（名）	week	(n.)

语言点链接　Language Points

1."能不能给安排个时间 / 能约个时间吗"

"Néng bù néng gěi ānpái gè shíjiān/ néng yuē gè shíjiān ma"

这两个句子中的"能"表示具备某种能力或某种客观条件。例如：明天你能来上班吗？——我不舒服，不能去。你喝酒了，能开车吗？——不能开。

"Néng" in these two sentences means "able" or "possible". E.g.."Míngtiān nǐ néng lái shàng bān ma?— Wǒ bù shūfu, bù néng qù." "Nǐ hē jiǔ le, néng kāi chē ma? —bù néng kāi."

2.不会吧 / 不会错

Bú huì ba/bú huì cuō

两个句子中的"会"表示可能。例如：雨这么大，他会来吗？——会。小王病了？——不会吧，我昨天还看见他了。

"Huì" in the two sentences means "likely" or "probable".E.g.."Yǔ zhème dà, tā huì lái ma? —huì." "Xiǎo Wáng bìng le? —Bú huì ba, wǒ zuótiān hái kànjiàn tā le."

练　习　Exercises

一、跟读并辨别下面音节。

Read the following syllables after the tape and distinguish one from another.

guǎnggào–Guǎngdǎo

fāngbiàn–fāng'àn

hēshuǐ–héhuì

bāobiǎo –shǒubiǎo

二、听录音并熟读下面的句子。

Listen to the recording and read the following sentences until you are fluent.

1.Wǒ xiǎng hé tā jiàn gè miàn.

我　想　和 他 见　个　面。

2.Gēn tā yuēhǎo le ma?

跟　他　约好　了 吗？

3.Tā nǎ tiān fāngbiàn? Nín néng bu néng gěi ānpái gè shíjiān?

他 哪天　方便？ 您　能　不　能　给　安排　个　时间？

4.Xīngqīsì xiàwǔ kěyǐ.

星期四　下午 可以。

5.Néng yuē ge shíjiān ma? Shuāngfāng héduì yíxià.

能　约 个 时间 吗？ 双方　核对 一下。

6.Kěyǐ, zhōusān shàngwǔ lái ba.

可以，周三　上午　来 吧。

三、请让我们一起再学习几个常用的词语，然后做练习。

Let's learn some more commonly used words before we do the exercises.

补充词语　Supplementary Words

加班	jiā bān	（动）	to work overtime	(v.)
日历	rìlì	（名）	diary	(n.)
卫生局	wēishēngjú	（名）	public health bureau	(n.)
卫生	wēishēng	（名）	health, hygiene	(n.)
检验	jiǎnyàn	（动）	to check	(v.)
通过	tōngguò	（动）	to pass	(v.)
工商局	gōngshāngjú	（名）	industrial and commer-	(n.)
			cial bureau	
转告	zhuǎngào	（动）	to pass on	(v.)

选择填空　Fill in the Blanks with Appropriate Words

Jiàn ge miàn（见个面）　　　wēishēng（卫生）

nǎ tiān（哪天）　　　　　néng bu néng（能不能）

ānpái（安排）　　　　　shíjiān（时间）

zhōusān（周三）　　　　　yuē（约）

xīngqī（星期）

1.A：Wéi? Xiǎo Wáng, shì wǒ, Liú Lì.

A：喂? 小　王，　是 我，刘 力。

B：Nǐ hǎo ma? Liú Lì.

B：你 好 吗? 刘 力。

A：Hái hǎo. Zhōuwǔ jiā bān ma? Wǒ xiǎng gēn nǐ yìqǐ chīfàn.
A：还 好。 周五 加班 吗？我 想 跟 你＿＿＿＿，一起 吃饭。

B：Wǒ chá yíxià rìlì. Kěyǐ, méi wèntí.
B：我 查 一下 日历。可以，没 问题。

2．A：Wéi? Wèishēngjú ma?
A：喂？ 卫生局 吗？

B：Duì, nǐ nǎli?
B：对，你 哪里？

A：Wǒ shì BM gōngsī de, qǐngwèn, wǒmen de chǎnpǐn jiǎnyàn
A：我 是 BM 公司 的， 请问， 我们 的 产品＿＿＿＿检验
tōngguò le ma?
通过 了 吗？

B：Yō, zhège wǒ bù zhīdào, děi wèn Huáng chùchǎng.
B：哟，这个 我 不 知道，得 问 黄 处长。

A：Huáng chùzhǎng fāngbiàn?
A：黄 处长＿＿＿＿方便？
Nín gěi gè
您＿＿＿＿给＿＿＿＿个＿＿＿＿？

B： xiàwǔ kěyǐ. Nǐ lái zhǎo tā ba.
B：＿＿＿＿下午 可以。你 来 找 他 吧。

A： xiàwǔ. Hǎo de, xièxie,
A：＿＿＿＿下午。 好 的，谢谢。

3．A：Wéi? Gōngshāngjú ma?
A：喂？ 工商局 吗？

B：Duì, nín shénme shì?
B：对， 您 什么 事？

A：Qǐngwèn, Mǎ chùzhǎng zài ma?
A：请问， 马 处长 在 吗？

B：Tā bú zài.
B：他 不 在。

A：Nín néng bāng wǒ gè ma?
A：您 能 帮 我＿＿＿＿个＿＿＿＿吗？
Wǒ xiǎng gēn tā
我 想 跟 他＿＿＿＿。

B：Qǐng děng yíxià, sì shàngwǔ tā yǒukòng.
B：请 等 一下，＿＿＿＿四 上午 他 有空。

A：Xièxie. Nà wǒ xīngqīsì qù zhǎo tā.

A：谢谢。那我 星期四 去 找 他。

4.A：Wèi? Xiǎo Bái zài ma?

A：喂? 小 白 在 吗?

B：Tā bú zài.

B：她 不 在。

A：Wǒ xiǎng qǐng tā kàn diànyǐng.

A：我 想 请 她 看 电影。

B：Nǐ gēn tā _____ hǎo le ma?

B：你 跟 她 _____好 了 吗?

A： _____ hǎo le.

A： _____好 了。

B：Yào zhuǎngào tā ma?

B：要 转告 她 吗?

A：Bú yòng le.

A：不 用 了。

四、完成下列对话。

Complete the following dialogues.

1.A：Wèi? Xiǎo Bái, wǒ shì Xiǎo Lǐ.

A：喂? 小 白, 我 是 小 李。

B：Nǐ hǎo, Xiǎo Lǐ, zěnmeyàng, máng ma?

B：你 好, 小 李, 怎么样, 忙 吗?

A：Hěn máng. Nǐ ne?

A：很 忙。你 呢?

B：Yě hěn máng.

B：也 很 忙。

A：Nǐ _____ Wǒ xiǎng hé nǐ

A：你 _____? 我 想 和 你 _____,
yìqǐ kàn diànyǐng.
一起 看 电影。

B：Xiànzài bù zhīdào, zhèyàng ba, _____ sì

B：现在 不 知道, 这样 吧, _____四
zài _____ yíxià.
再 _____ 一下。

A：Hǎo de, wǒ gěi nǐ dǎ diànhuà.

A：好 的，我 给 你 打 电话。

2.A：Wéi? Huáng chùzhǎng zài ma?

A：喂? 黄 处长 在 吗?

B：Tā bú zài. Nín shénme shì?

B：他 不 在。您 什么 事?

A：Wǒ xiǎng hé tā tántan shuì de shì. Nín

A：我 想 和 他 谈谈 税 的 事。您_____?

B：Qǐng shāo děng, wǒ chá yíxià rìlì.   shàngwǔ kěyǐ.

B：请 稍 等，我 查 一下 日历。_____上午 可以。

A：Nà hǎo, wǒ zhōusān shàngwǔ qù.

A：那 好，我 周三 上午 去。

3.A：Wéi? Shì BM gōngsī ma?

A：喂? 是 BM 公司 吗?

B：Shì, nǎ wèi?

B：是，哪 位?

A：Wǒ shì Chéngdū de kèhù, wǒ xiǎng hé Wáng jīnglǐ

A：我 是 成都 的 客户，我 想 和 王 经理_____。

B：Nín   ma?

B：您 _____吗?

A：Méi yǒu, wǒ gāng dào Běijīng.

A：没 有，我 刚 到 北京。

B：Nǐ xiàwǔ zài gěi tā dǎ diànhuà ba.

B：你 下午 再 给 他 打 电话 吧。

A：Hǎo de.

A：好 的。

4.A：Wéi? Shì Wáng jīnglǐ ma? Wǒ shì Chéngdū huàzhuāngpǐn gōngsī de.

A：喂? 是 王 经理 吗? 我 是 成都 化妆品 公司 的。

B：Ò, Mǎ jīnglǐ, nǐ hǎo.

B：哦，马 经理，你 好。

A：Nǐ hǎo, Wáng jīnglǐ. Wǒmen shàng cì jìn de huò shǎo le yì diǎnr.

A：你 好，王 经理。 我们 上 次 进 的 货 少 了一点儿。

B：Shì ma? Fā huò qián wǒmen jiǎnyàn le liǎng cì.

B：是 吗? 发 货 前 我们 检验 了 两 次。

A：Zhèyàng ba, Wáng jīnglǐ, nǐ
A：这样　　吧，王　经理，你_____？
　　Wǒmen
　　我们_____。
B：Xīngqīsì wǒ
B：星期四　我_____。
A：Nà hǎo, xīngqīsì wǒmen shuāngfāng jiàn miàn héduì yíxià.
A：那　好，星期四　我们　　双方　　见　面　核对　一下。

五、请根据课文内容回答下列问题。

Answer the following questions by using the information given in the text.

1. Wáng Guāng wèishénme zhǎo Gāo xiānsheng?
   王　　光　　为什么　找　高　先生？

2. Wáng Guāng hé Gāo xiānsheng yuēhǎo le ma?
   王　　光　和　高　　先生　　约好　了吗？

3. Wáng Guāng qǐng Gāo xiānsheng de mìshū zuò shénme?
   王　　光　请　高　　先生　的　秘书　做　什么？

4. Wáng Guāng nǎ tiān kěyǐ hé Gāo xiānsheng jiàn miàn?
   王　　光　　哪　天　可以　和　高　　先生　　见　面？

5. Lǐ Lín gěi shuìwùjú dǎ diànhuà yǒu shénme shì?
   李　琳　给　税务局　打　电话　有　什么　事？

6. Lǐ Lín yào zuò shénme?
   李　琳　要　做　什么？

六、下面的情景你知道该怎么说吗？请试一试。

Try to express yourself in the following situations.

1. 你想去某公司看样品，你和该公司的工作人员商量去的时间。
   You discuss with a company clerk the date for your examination of the sample products.

2. 你要去拜见卫生局的中国官员，你请他的秘书给你安排会见的时间。

   Before you call upon a Chinese official of the Public Health Bureau you ask his secretary to make an appointment for you.

3. 一位朋友想请你吃饭，你和他商定时间。

   You fix a date with your friend for your attending his dinner.

4. 如果你要见麦克但没有预约，小白可能怎样问你？

   What would Xiao Bai say if you want to see Mike without an appointment?

七、汉字点击。

Open the CD to view the characters.

请通过光盘点击认读、书写下面的汉字。请注意汉字书写时的笔顺。

Open the CD to view and write the characters with special attention to their stroke-order.

便　排　税　核　表　双　周

文化点击　Cultural Points

中国的行政区划

Administrative Divisions in China

中国的国土划分为34个省级行政区。其中包括23个省、4个直辖市、5个自治区、2个特别行政区。在省一级下边的行政区划依次为：市或地区——区或县——街道或乡、镇。

There are 34 administrative divisions at provincial level in China. They comprise 23 provinces, four municipalities directly under the Central Government, five autonomous regions and two special administrative zones. The administrative divisions under a provincial government with levels from highest to lowest are: city or prefecture—district or county—residential district, village or town.

中国省级行政区简表
China's Administrative Divisions at Provincial Level

省级行政单位 Administrative Divisions at Provincial Level	省级行政中心 Provincial or Municipal Centres	简称 Abbreviation
北京市 Beijing Municipality	北京 Beijing	京 Jīng
上海市 Shanghai Municipality	上海 Shanghai	沪 Hù
天津市 Tianjin Municipality	天津 Tianjin	津 Jīn
重庆市 Chongqing Municipality	重庆 Chongqing	渝 Yú
河北省 Hebei Province	石家庄 Shijiazhuang	冀 Jì
山西省 Shanxi Province	太原 Taiyuan	晋 Jìn
辽宁省 Liaoning Province	沈阳 Shenyang	辽 Liáo
吉林省 Jilin Province	长春 Changchun	吉 Jí
黑龙江省 Heilongjiang Province	哈尔滨 Harbin	黑 Hēi
江苏省 Jiangsu Province	南京 Nanjing	苏 Sū
浙江省 Zhejiang Province	杭州 Hangzhou	浙 Zhè
安徽省 Anhui Province	合肥 Hefei	皖 Wǎn
福建省 Fujian Province	福州 Fuzhou	闽 Mǐn
江西省 Jiangxi Province	南昌 Nanchang	赣 Gàn
山东省 Shandong Province	济南 Jinan	鲁 Lǔ
河南省 Henan Province	郑州 Zhengzhou	豫 Yù
湖北省 Hubei Province	武汉 Wuhan	鄂 È
湖南省 Hunan Province	长沙 Changsha	湘 Xiāng
广东省 Guangdong Province	广州 Guangzhou	粤 Yuè
海南省 Hainan Province	海口 Haikou	琼 Qióng
四川省 Sichuan Province	成都 Chengdu	川 Chuān
贵州省 Guizhou Province	贵阳 Guiyang	黔 Qián
云南省 Yunnan Province	昆明 Kunming	滇 Diān
陕西省 Shanxi Province	西安 Xi'an	陕 Shǎn
甘肃省 Gansu Province	兰州 Lanzhou	甘 Gān
青海省 Qinghai Province	西宁 Xining	青 Qīng
台湾省 Taiwan Province	台北 Taipei	台 Tái
内蒙古自治区 Inner Mongolia Autonomous Region	呼和浩特 Hohhot	内蒙古 Nèiměnggǔ
广西壮族自治区 Guangxi Zhuang Autonomous Region	南宁 Nanning	桂 Guì

西藏自治区 Tibet Autonomous Region	拉萨 Lhasa	藏 Zàng
宁夏回族自治区 Ningxia Hui Autonomous Region	银川 Yinchuan	宁 Níng
新疆维吾尔自治区 Xinjiang Uygur Autonomous Region	乌鲁木齐 Urumqi	新 Xīn
香港特别行政区 Hong Kong Special Administrative Region	香港 Hong Kong	港 Gǎng
澳门特别行政区 Macao Special Administrative Region	澳门 Macao	澳 Āo

Dì-shí bā kè
第 18 课

Nǐ guòlái yíxià
你 过来 一下

Lesson 18

Come over Please

导 学 Guiding Remarks

有事要找人，或者有事要和别人见面，用汉语怎么说呢？

How would you express yourself in Chinese when you are going to call upon or meet someone?

课文 Text

A

小白走进麦克办公室送文件。
Xiao Bai comes to deliver the mail to Mike's office.

Xiǎo Bái：Màizǒng, nín de xìnjiàn.
小 白：麦总， 您 的 信件。
Xiao Bai：Maizong, here are your letters.

Màikè：Fàng zhèr ba. Nǐ jiào Xiǎo Wáng lái yíxià, ràng Dīng Guāng yě lái.
麦克：放 这儿吧。你 叫 小 王 来 一下， 让 丁 光 也 来。
Mike：Put them here. Please tell Xiao Wang, and also Ding Guang, to come over.

Xiǎo Bái：Hǎo de.
小 白：好 的。
Xiao Bai：Yes, I will.

小白出去，对小王和丁光。
To Xiao Wang and Ding Guang after he left Maizong's office

Xiǎo Bái：Xiǎo Wáng, Màizǒng zhǎo nǐ.
小 白：小 王， 麦总 找 你。
Xiao Bai：Xiao Wang, Maizong wants to see you.

Wáng Guāng：Hǎo de.
王 光：好 的。
Wang Guang：I'll go there.

Xiǎo Bái：Dīng Guāng, hái yǒu nǐ.
小 白：丁 光， 还 有 你。
Xiao Bai：And you, Ding Guang.

Dīng Guāng：Wǒ yě yíkuàir qù?
丁 光：我 也 一块儿 去?
Ding Guang：Me? With him?

209

Xiǎo Bái：Shì de.

小 白：是 的。

Xiao Bai：Yes.

Dīng Guāng： Zǒu ba.

丁 光：(对小王)走 吧。

Ding Guang：(To Xiao Wang) Let's go.

Lǐ Lín：Xiǎo Bái , nǐ guòlái yíxià. Wǒ yǒu diǎnr shì.

李 琳：小 白，你 过来 一下。我 有 点儿 事。

Li Lin：Xiao Bai, come here a second. I Just want to have a word with you.

Xiǎo Bái：Āi.

小 白：哎。

Xiao Bai：Just coming.

B

星期三上午。麦克和李琳去商务部找政府官员。

On Wednesday morning, Mike and Li Lin are going to call on the officials of
the Ministry of Commerce.

Mìshū：Èr wèi yǒu shénme shì？

秘书：二 位 有 什么 事？

Secretary：Can I help you two?

Lǐ Lín：Wǒmen zhǎo Huáng chùzhǎng.

李 琳：我们 找 黄 处长。

Li Lin：We have come to see Mr.Wang, head of the department.

Mìshū：Nǐmen shì nǎge dānwèi de？

秘书：你们 是 哪个 单位 的？

Secretary：Are you from....

Lǐ Lín：BM gōngsī de.

李 琳：BM 公司 的。

　Li Lin：From BM Company.

Mìshū：Yuēhǎo le ma?

秘书：约好 了吗？

Secretary：Have you got an appointment?

Lǐ Lín：Yuēhǎo le.

李 琳：约好 了。

　Li Lin：Yes, we have.

Mìshū：Qǐng shāo děng.

秘书：请 稍 等。(打电话)

Secretary：Just a minute. (Telephoning)

Mìshū：BM gōngsī de rén zhǎo nín.

秘书：BM 公司 的 人 找 您。

Secretary：you have two visitors from BM Company.

Huáng chùzhǎng：BM gōngsī? Jiào shénme míngzi?

黄 处长：BM 公司？ 叫 什么 名字？

　Huang：Pardon? BM Company? And their names?

Mìshū： Qǐngwèn, nín zěnme chēnghu?

秘书：(对麦克和李琳)请问， 您 怎么 称呼？

Secretary：(To Mike and Li Lin) And your name, please?

211

词 语　　　Word List

1.信件	xìnjiàn	（名）	letter	(n.)
2.叫	jiào	（动）	to call; to be called	(v.)
3.一块儿	yíkuàir	（副）	together	(adv.)
4.黄	Huáng	（专名）	surname	(pn.)
5.哪个	nǎgè	（代）	which	(pron.)
6.单位	dānwèi	（名）	unit	(n.)
7.称呼	chēnghu	（名）	call, address	(n.)

语言点链接　　　Language Points

1.我也一块儿去。

Wǒ yě yíkuàir qù.

句子中的"也"表示相同。例如：他去，你也去。这是笔，那也是笔。你说汉语，我也说汉语。

In this sentence "yě" means "also".E.g.."Tā qù, nǐ yě qù." "Zhè shì bǐ, nà yě shì bǐ." "Nǐ shuō Hànyǔ, wǒ yě shuō Hànyǔ."

2.丁光，还有你。

Dīng Guāng, hái yǒu nǐ.

句子中的"还"表示增补。例如：我去了上海，还去了杭州。小王、小白、还有小张，都在办公室。

In this sentence "hái" carries the sense of "and" or "in addition to".E.g.."Wǒ qùle Shànghǎi, hái qùle Hángzhōu." "Xiǎo Wáng、Xiǎo Bái, háiyǒu Xiǎo Zhāng, dōu zài bàngōngshì."

练 习　　　Exercises

一、跟读并辨别下面音节。

Read the following syllables after the tape and distinguish one from another.

jiào-yào　　　　　　　　yíkuàir-yúkuāi

dānwèi-hànwèi　　　　　xìnjiàn-jīntiān

二、听录音并熟读下面的句子。

Listen to the recording and read the following sentences until you are fluent.

1. Nǐ jiào Xiǎo Wáng lái yíxià, ràng Dīng Guāng yě lái.
   你 叫 小 王 来 一下， 让 丁 光 也 来。

2. Xiǎo Wáng, Màizǒng zhǎo nǐ, Dīng Guāng hái yǒu nǐ.
   小 王， 麦总 找 你， 丁 光 还 有 你。

3. Xiǎo Bái, nǐ guòlái yíxià, wǒ yǒu diǎnr shì.
   小 白， 你 过来 一下， 我 有 点儿 事。

4. Wǒmen zhǎo Huáng chùzhǎng.
   我们 找 黄 处长。

5. Huáng chùzhǎng, BM gōngsī de rén zhǎo nín.
   黄 处长， BM 公司 的 人 找 您。

三、请让我们一起再学习几个常用的词语，然后做练习。

Let's learn some more commonly used words before we do the exercises.

补充词语　Supplementary Words

玩儿	wánr	（动）	to play	(v.)
决定	juédìng	（动）	to decide	(v.)
燕山	Yānshān	（专名）		(pn.)
风景	fēngjǐng	（名）	scenery	(n.)
特别	tèbié	（副）	specially	(adv.)

选择填空　Fill in the Blanks with Appropriate Words

ràng（让）　　　　lái（来）
zhǎo（找）　　　　chēnghu（称呼）
guòlái（过来）　　lái（来）
wánwan（玩玩）　　fēngjǐng（风景）
liánxì（联系）

1. A: Xiǎo Wáng, Xiǎo Wáng.
   A：小 王， 小 王。
   B: Màizǒng, tā gāng chūqù le.
   B：麦总， 他 刚 出去 了。

213

A：Shì ma? Děng tā huílái,   tā   yíxià.

A：是 吗? 等 他 回来，＿＿＿＿ 他 ＿＿＿＿ 一下。

B：Hǎo de.

B：好 的。

2. A：Xiǎo Wáng, nǐ shàng nǎr qù le?

    A：小 王，你 上 哪儿 去 了?

    B：Wǒ qù jiàn Liú jīnglǐ le.

    B：我 去 见 刘 经理 了。

    A：Ò. Màizǒng   nǐ.

    A：哦。麦总 ＿＿＿＿ 你。

    B：Shì ma? Wǒ mǎshàng qù.

    B：是 吗? 我 马上 去。

3. A：Qǐngwèn, nǐ zhǎo shuí?

    A：请问， 你 找 谁?

    B：Wǒ   Wáng jīnglǐ.

    B：我 ＿＿＿＿ 王 经理。

    A：Nín shì…

    A：您 是……

    B：Wǒ shì Hā'ěrbīn huàzhuāngpǐn gōngsī de.

    B：我 是 哈尔滨 化妆品 公司 的。

    A：Nín zěnme

    A：您 怎么 ＿＿＿＿?

    B：Wǒ xìng Yáng.

    B：我 姓 杨。

    A：Nǐ hǎo, Yáng jīnglǐ, qǐng shāo děng yíxià.

    A：你 好， 杨 经理，请 稍 等 一下。

        Xiǎo Wáng, Xiǎo Wáng, Yáng jīnglǐ   nǐ.

        小 王，小 王，杨 经理 ＿＿＿＿ 你。

4. A：Xiǎo Bái,   yíxià. Xiǎo Wáng nǐ yě

    A：小 白，＿＿＿＿ 一下。小 王，你 也 ＿＿＿＿。

    B：Shénme shì? Lǐ Lín.

    B：什么 事? 李 琳。

    A：Màizǒng juédìng zhōuwǔ chūqù

    A：麦总 决定 周五 出去 ＿＿＿＿。

B：Shì ma? Tài hǎo le.

B：是 吗？ 太 好 了。

A：Qù shénme dìfang hǎo?

A：去 什么 地方 好？

B：Yānshān Bīnguǎn bú cuò, nàr de _____ tèbié měi.

B：燕山 宾馆 不错，那儿的_____特别 美。

A：Nà hǎo ba, Xiǎo Bái, nǐ _____ yíxià.

A：那 好 吧，小 白，你_____一下。

四、完成下列对话。

Complete the following dialogues.

1. A：Xiǎo Bái, nǐ _____ yíxià.

   A：小 白，你_____一下。

   B：Shénme shì? Xiǎo Wáng.

   B：什么 事？ 小 王。

   A：Míngtiān wǒ hé Màizǒng qù Shànghǎi chū chāi,

   A：明天 我 和 麦总 去 上海 出 差，

   nǐ gěi _____ liǎng zhāng jīpiào.

   你 给_____两 张 机票。

   B：Hǎo de.

   B：好 的。

2. A：Xiǎo Bái, _____ Zhāng shīfu _____ yíxià.

   A：小 白，_____张 师傅_____一下。

   B：Hǎo de.

   B：好 的。

   A：_____ bǎojiéyuán yě _____ yíxià.

   A：_____保洁员 也_____一下。

   B：Āi, wǒ mǎshàng qù jiào.

   B：哎，我 马上 去 叫。

3. A：Qǐnwèn, Wáng jīnglǐ zài ma?

   A：请问， 王 经理 在 吗？

   B：Tā bú

   B：他 不_____。

   A：Wǒ yǒu jí shì _____ tā.

   A：我 有 急事_____他。

   B：Nǐ dǎ tā shǒujī ba.

   B：你 打 他 手机 吧。

215

4. A：Nín shénme shì?
A：您 什么 事?

B：Wǒ _____ Huáng chùzhǎng.
B：我 _____ 黄 处长。

A：Yuēhǎo le ma?
A：约好 了 吗?

B：Yuēhǎo le.
B：约好 了。

A：Nín děng yíxià, wǒ dǎ ge diànhuà.
A：您 等 一下,我 打 个 电话。

五、请根据课文内容回答下列问题。

Answer the following questions by using the information given in the text.

1. Màikè ràng Xiǎo Bái zhǎo shuí?
麦克 让 小 白 找 谁?

2. Xiǎo Bái gàosu Wáng Guāng shénme shì?
小 白 告诉 王 光 什么 事?

3. Lǐ Lín yǒu shì zhǎo Xiǎo Bái, tā shì zěnme shuō de?
李 琳 有事 找 小 白,她是 怎么 说 的?

4. Màikè hé Lǐ Lín qù shāngwùbù zhǎo shuí?
麦克 和李 琳 去 商务部 找 谁?

5. Mìshū gěi Huáng chùzhǎng dǎ diànhuà shuō shénme le?
秘书 给 黄 处长 打 电话 说 什么 了?

六、下面的情景你知道该怎么说吗? 请试一试。

Try to express yourself in the following situations.

1. 你有事要跟一个职员单独说, 怎么让他来你的办公室?
   How would you ask an employee to your office in Chinese when you want to have a word with him alone?

2. 有人约好了和经理见面, 正在会客室等候, 你怎么告诉经理?
   What would say to the manager in Chinese when a visitor is waiting to see him by appointment at the reception room?

3.你要找的人刚好不在，你怎么请其他的人转告？

How would you ask someone to pass a message to another person who is out when you call?

4.你有事要找秘书，你在办公室给她打电话。

How would you tell your secretary to come by phone?

七、汉字点击。

Open the CD to view the characters.

请通过光盘点击认读、书写下面的汉字。请注意汉字书写时的笔顺。

Open the CD to view and write the characters with special attention to their stroke-order.

件　叫　黄　称　呼

文化点击　Cultural Points

中国政府公务员职务序列

中国政府的公务员职务序列从高到低依次为：部长/省长/直辖市长/自治区主席——市长/司长/局长/厅长——县长/处长——科长。

香港和澳门特别行政区的最高行政职务叫行政长官。

The Hierarchy of the Chinese Civil Service

The hierarchy of Chinese civil servant grades of authority range from the highest to the lowest accordingly : minister/ provincial governor/mayor of municipality directly under the Central Government/chairman of autonomous region——mayor/head of section/ head of bureau/ head of department at the provincial level ——head of county/head of department —— section chief.

The key figure in the highest authority of the Hongkong and the Macao Special Administrative Regions is known as Chief Executive.

Dì-shíjiǔ kè　　Dìng liǎng zhāng dào Guǎngzhōu de jīpiào
第 19 课　订 两 张 到 广州 的机票
Lesson 19　Can I Book Two Tickets for Guangzhou

导 学　Guiding Remarks

　　在公司工作，出差是常事。怎么订票，坐什么交通工具，何时去，何时回来，怎样让别人接你？这些你会用汉语说吗？

　　Travelling on official business is a matter of routine for many employees working in a company. Do you know the Chinese expressions for booking tickets, arranging of transportation, dates of departure and return as well as how to make arrangements for a business rendezvous?

课文 Text

A

麦克和小王要去广州出差。小王打电话订票。

Mike and Xiao Wang are going to Guangzhou on official business. Now Xiao Wang is booking their tickets by phone.

Wáng Guāng：Wèi , hángkōng gōngsī shòupiàochù ma?
王 光：喂，航空 公司 售票处 吗?
Wang Guang：Hello! Is this the booking office of the Airline Company?

Gōngzuò rényuán：Shì de.
工作 人员：是 的。
Clerk：Yes, it is.

Wáng Guāng：Dìng liǎng zhāng dào Guǎngzhōu de jīpiào.
王 光：订 两 张 到 广州 的 机票。
Wang Guang：Can I book two tickets for Guangzhou?

Gōngzuò rényuán：Dìng nǎ tiān de?
工作 人员：订 哪 天 的?
Clerk：When is it for?

Wáng Guāng：Xīngqīsān de , yào gōngwùcāng.
王 光：星期三 的，要 公务舱。
Wang Guang：On Wednesday, official class.

Gōngzuò rényuán：Hǎo de. Nǐ xiǎng dìng shénme shíjiān de?
工作 人员：好 的。你 想 订 什么 时间 的?
Clerk：Yes, but what flight?

Wáng Guāng：Dōu yǒu jǐ diǎn de fēijī?
王 光：都 有 几 点 的 飞机?
Wang Guang：What flights are there available?

Gōngzuò rényuán：Yǒu liǎng gè hángbān, shàngwǔ jiǔ diǎn shí fēn de
工作 人员：有 两 个 航班, 上午 九点 十分 的
hé xiàwǔ liǎng diǎn sìshíwǔ fēn de.
和 下午 两 点 四十五 分 的。
Clerk：There are two flights every day: the 9:10 flight and the 14:45 one.

Wáng Guāng：Wǒmen yào zǎoshang de, néng sònglái ma?
王 光：我们 要 早上 的, 能 送来 吗?
Wang Guang：We would prefer the morning flight. Can you send the tickets here?

Gōngzuò rényuán：Kěyǐ. Nín de dìzhǐ?
工作 人员：可以。您 的 地址?
Clerk：Yes, we can. But your address?

Wáng Guāng：Qǐng jì yíxià.
王 光：请 记 一下。
Wang Guang：Take down it, please.

Gōngzuò rényuán：Hǎo de, qǐng shāo děng.
工作 人员：好 的, 请 稍 等。(找笔)
Clerk：Yes, but for a while, please. (to find a pen)

B

广州的刘经理给小王打电话。
Manager Liu is calling Xiao Wang from Guangzhou.

Liú jīng lǐ：Wáng jīnglǐ, nǐ hé Màizǒng nǎ tiān lái Guǎngzhōu?
刘 经理：王　　经理，你 和 麦总　哪天来　广州?
Liu：Manager Wang, when will you and Maizong come to Guangzhou?

Wáng Guāng：Zhège xīngqīsān.
王 光：这个　　星期三。
Wang Guang：On the coming Wednesday.

Liú jīnglǐ：Zuò fēijī lái ma?
刘 经理：坐 飞机 来 吗?
Liu：By aeroplane?

Wáng Guāng：Shìde.
王 光：是 的。
Wang Guang：Yes.

Liú jīng lǐ：Nǎge hángbān?
刘 经理：哪个　航班?
Liu：Which flight?

Wáng Guāng：Shàngwǔ jiǔ diǎn shí fēn qǐfēi, shíyī diǎn duō dào.
王 光：上午　　九 点 十 分起飞，十一 点　多 到。
Wang Guang：The 9:10 flight. We'll arrive after 11:00.

Liú jīnglǐ：Nà wǒ shíyī diǎn zhǔnshí dào jīchǎng jiē nǐmen.
刘 经理：那 我 十一 点 准时 到　机场　接 你们。
Liu：Then I'll go to the airport to meet you at 11:00.

Wáng Guāng：Hǎo de, xièxie.
王 光：好 的，谢谢。
Wang Guang：That's great. Thank you.

Liú jīnglǐ：Dǎsuan nǎ tiān líkāi Guǎngzhōu?
刘 经理：打算　哪天 离开　广州?
Liu：When are you going to return to Beijing?

221

Wāng Guāng：Xià xīngqīyī ba.

王　光：下　星期一　吧。

Wang Guang：On next Monday.

Liú jīnglǐ：Yào wǒ gěi nǐmen yùdìng fǎnchéng jīpiào ma?

刘　经理：要　我　给　你们　预订　返程　机票　吗？

Liu：Shall we book the return tickets for you?

Wāng Guāng：Hǎo de, máfan nǐ le.

王　光：好　的，麻烦　你　了。

Wang Guang：Yes, please. Sorry to have put you to so much trouble.

词　语　　Word List

1. 机票	jīpiào	（名）	airline ticket	*(n.)*
2. 航空	hángkōng	（名）	airline	*(n.)*
3. 售票处	shòupiàochù	（名）	ticket office	*(n.)*
4. 订	dìng	（动）	to book	*(v.)*
5. 公务舱	gōngwùcāng	（名）	official class	*(n.)*
6. 航班	hángbān	（名）	flight	*(n.)*
7. 地址	dìzhǐ	（名）	address	*(n.)*
8. 记	jì	（动）	to take (a note); to remember	*(v.)*
9. 起飞	qǐfēi	（动）	to take off (of aircraft)	*(v.)*
10. 准时	zhǔnshí	（形）	on time	*(adj.)*
11. 打算	dǎsuan	（动）	to plan	*(v.)*
12. 离开	líkāi	（动）	to leave	*(v.)*
13. 返程	fǎnchéng	（名）	return journey	*(n.)*

语言点链接　　Language Points

1."订哪天的 / 订什么时间的 / 要早上的 / 上午 9 点 10 分的"

"Dìng nǎ tiān de / dìng shénme shíjiān de / yào zǎoshang de / shàngwǔ jiǔ diǎn shí fēn de"

　　"动词／时间名词＋的"＝名词。前三个句子的意思是：订哪天的票／订什么时间的票／要早上的票。第四个句子的意思是"上午9点10分的航班"。

The phrase "verb/time word + de" often functions as a noun. The first three of the preceding sentences correspond respectively to "dìng nǎ tiān de piào", "dìng shénme shíjiān de piào", "yào zǎoshang de piào". The fourth sentence is equal to "shàngwǔ jiǔ diǎn shí fēn de hángbān".

　　2. "11点多"

"11 diǎn duō"

　　"多"表示比前面的数词所表示的数目略多。例如：6岁多、3斤多、10多个、100多块钱。

　　"Duō" here means "more than" or "odd". E.g.. "6 suì duō", "3 jīn duō", "10 duō gè", "100 duō kuài qián".

练　习　　　Exercises

一、跟读并辨别下面音节。

　　　Read the following syllables after the tape and distinguish one from another.

hángkōng–hángbān

shōupiào–fāpiào

zhǔnshí–zhǔnbèi

dǎsuan–dàsuàn

fǎnchéng–fāngchéng

二、听录音并熟读下面的句子。

　　　Listen to the recording and read the following sentences until you are fluent.

　　　1. Dìng liǎng zhāng dào Guǎngzhōu de jīpiào.
　　　　订　两　张　到　广州　的　机票。

　　　2. Dìng nǎ tiān de?
　　　　订　哪天　的?

　　　3. Xīngqīsān, yào gōngwùcāng.
　　　　星期三，　要　公务舱。

223

4. Nǐ xiǎng dìng shénme shíjiān de?
   你 想 订 什么 时间 的?

5. Dōu yǒu jǐ diǎn de fēijī?
   都 有 几 点 的 飞机?

6. Yǒu liǎng gè hángbān , shàngwǔ jiǔ diǎn shí fēn de hé
   有 两 个 航班， 上午 九 点 十 分 的 和
   xiàwǔ liǎng diǎn sìshíwǔ fēn de .
   下午 两 点 四十五 分 的。

7. Nǐ hé Màizǒng nǎ tiān lái Guǎngzhōu?
   你 和 麦总 哪 天 来 广州 ?

8. Zuò fēijī lái ma?
   坐 飞机 来 吗?

9. Nǎge hángbān?
   哪个 航班?

10. Shàngwǔ jiǔ diǎn shí fēn qǐfēi , shíyī diǎn duō dào.
    上午 九 点 十 分 起飞， 十一 点 多 到。

11. Wǒ shíyī diǎn zhǔnshí dào jīchǎng jiē nǐmen.
    我 十一 点 准时 到 机场 接 你们。

12. Dǎsuan nǎ tiān líkāi Guǎngzhōu?
    打算 哪 天 离开 广州?

13. Yào wǒ gěi nǐmen yùdìng fǎnchéng jīpiào ma?
    要 我 给 你们 预订 返程 机票 吗?

·

三、请让我们一起再学习几个常用的词语，然后做练习。

Let's learn some more commonly used words before we do the exercises.

补充词语　Supplementary Words

习惯	xíguàn	（动）	to get used to	(v.)
替	tì	（介）	for	(prep.)
问候	wènhòu	（动）	to extend greetings	(v.)
太太	tàitai	（名）	wife	(n.)

| 中午 | zhōngwǔ | （名） | noon | *(n.)* |
| 打折 | dǎ zhé | （动） | to give a discount | *(v.)* |

选择填空 Fill in the Blanks with Appropriate Words

nǎ tiān（哪天）　　　　jīpiào（机票）

hángbān（航班）　　　　qǐfēi（起飞）

dào（到）　　　　　　　jīchǎng（机场）

jiē（接）　　　　　　　hángkōng（航空）

dìng（订）　　　　　　gōngwù（公务）

yùdìng（预订）　　　　zuò（坐）

fǎnchéng（返程）

1. A：Wèi？Màikè ma？Wǒ shì JOHN.

   A：喂？ 麦克 吗？ 我 是 JOHN。

   B：Nǐ hǎo，JOHN. Nǐ dǎsuan _____ lái Běijīng？

   B：你 好， JOHN。你 打算_____来 北京？

   A：Xià xīngqī'èr.

   A：下 星期二。

   B：Dìng hǎo _____ le ma？

   B：订 好 _____ 了 吗？

   A：Dìng hǎo le. Nǐ zěnmeyàng？

   A：订 好 了。你 怎么样？

   B：Wǒ hěn hǎo，yǐjing xíguàn le zhèr.

   B：我 很 好， 已经 习惯 了 这儿。

   A：Shì ma？Hěn gāoxìng yòu yào jiàn miàn le.

   A：是 吗？很 高兴 又 要 见 面 了。

   B：Wǒ yě hěn gāoxìng.

   B：我 也 很 高兴。

   A：Tì wǒ wènhòu nǐ de tàitai hé háizi.

   A：替我 问候 你 的 太太 和 孩子。

   B：Xièxie.

   B：谢谢。

2. A：Wèi？Wáng jīnglǐ，nǐ _____ lái Chéngdū？

   A：喂？ 王 经理，你_____来 成都？

   B：Xīngqīsān.

   B：星期三。

225

A：Jǐ diǎn de

A：几 点 的 _____？

B：Zhōngwǔ shí èr diǎn èrshí fēn   sān diǎn duō

B：中午   十二 点 二十 分 _____，三 点 多 _____。

A：Nà hǎo , wǒ sān diǎn zhǔnshí dào   nǐ.

A：那 好， 我 三 点 准时 到 _____ 你。

3.A：Nǐ hǎo zhèlǐ shì hángkōng shòupiàochù.

A：你 好，这里 是   航空   售票处。

B：   liǎng zhāng dào Fǎguó de jīpiào.

B：_____ 两 张 到 法国 的 机票。

A：   nǎ tiān de?

A：_____ 哪 天 的？

B：Xià xīngqīsì de. Yào   cāng.

B：下 星期四 的。要 _____ 舱。

A：   shénme shíjiān de?

A：_____ 什么 时间 的？

B：Yào shàngwǔ de.

B：要 上午 的。

A：Néng dǎ zhé ma?

A：能 打折 吗？

B：Duìbuqǐ, bù dǎ zhé.

B：对不起， 不 打 折。

4.A：Liú jīnglǐ, nǐ xīngqīsān lái Běijīng, duì ma?

A：刘 经理，你 星期三 来 北京， 对 吗？

B：Duì.

B：对。

A：   fēijī lái ma?

A：_____ 飞机 来 吗？

B：Shì de, shàngwǔ shí diǎn yí kè de

B：是 的， 上午 十 点 一刻 的 _____。

A：Yào   jīpiào ma?

A：要 _____ 机票 吗？

B：Yào.

B：要。

四、完成下列对话。

Complete the following dialogues.

1. A：Wèi？Hángkōng gōngsī _____ ma?

A：喂? 航空 公司 _____ 吗?

B：Duì.

B：对。

A：_____ yì zhāng dào Guǎngzhōu de

A：_____ 一 张 到 广州 的 _____。

B：_____ de?

B：_____ 的?

A：Xīngqīwǔ de．Yào shàngwǔ de

A：星期五 的。 要 上午 的 _____。

B：Hǎo de.

B：好的。

2. A：Nǐ hǎo, JOHN. Nǐ _____ lái Běijīng?

A：你 好, JOHN。 你 _____ 来 北京?

B：Xià zhōuyī.

B：下 周一。

A：_____ hǎo jīpiào le ma?

A：_____ 好 机票 了 吗?

B：Dìnghǎo le.

B：订好 了。

A：Jǐ diǎn de

A：几 点 的 _____?

B：Xiàwǔ yī diǎn shí fēn.

B：下午 一 点 十 分。

A：Nà hǎo, nà tiān wǒ ràng sījī qù jīchǎng _____ nǐ.

A：那 好, 那 天 我 让 司机 去 机场 _____你。

3. A：Wèi? Liú jīnglǐ, nǐ juédìng _____ lái?

A：喂? 刘 经理, 你 决定 _____ 来?

B：Hòutiān.

B：后天。

A：Jǐ diǎn de

A：几 点 的 _____?

B：Zhōngwǔ yī diǎn.

B：中午　　一点。

A：Nà wǒ ràng Zhāng shīfu qù jīchǎng　　　　nǐ.

A：那 我 让　张　师傅 去　机场＿＿＿＿你。

B：Hǎo de, xièxie.

B：好　的，谢谢。

4．A：Wèi?　　　　shòupiàochù ma?

A：喂?＿＿＿＿＿售票处　　吗?

B：Duì.

B：对。

A：Qǐngwèn, míngtiān qù Shànghǎi de　　　　hái yǒu ma?

A：请问，　　明天　去　上海　的＿＿＿＿还 有 吗?

B：Yǒu.

B：有。

A：Shénme shíjiān de?

A：什么　　时间 的?

B：Shàngwǔ jiǔ diǎn hé xiàwǔ liǎng diǎn.

B：上午　　九点 和 下午　两　点。

A：Wǒ yào shàngwǔ jiǔ diǎn de, néng sònglái ma?

A：我 要　上午　九点 的，能　送来 吗?

B：Kěyǐ, nín de

B：可以，您 的＿＿＿＿?

五、请根据课文内容回答下列问题。

Answer the following questions by using the information given in the text.

1．Wāng Guāng gěi shénme dìfang dǎ diànhuà le?

王　　光　给　什么　　地方 打　电话 了?

2．Wāng Guāng yào dìng shénme?

王　　光　要 订　什么?

3．Qù Guǎngzhōu yǒu jǐ gè hángbān?

去　广州　　有 几 个　航班?

4．Wāng Guāng hé Màikè zuò shénme qù Guǎngzhōu?

王　　光　和 麦克 坐　什么　去　广州?

5. Wáng Guāng hé Màikè dǎsuan nǎ tiān líkāi Guǎngzhōu?
   王　　光　　和 麦克　打算　哪 天　离开　广州?

6. Wáng Guāng hé Màikè xūyào Liú jīnglǐ bāng tāmen yùdìng
   王　　光　　和 麦克　需要　刘 经理　帮 他们　预订
   fǎnchéng jīpiào ma?
   返程　　机票　吗?

六、下面的情景你知道该怎么说吗？请试一试。

Try to express yourself in the following situations

1. 你要去上海出差，你给航空公司售票处打电话预订机票。
   You book a ticket for Shanghai by phone before you visit the city on official business.

2. 你的朋友要来中国，你打电话问他哪天来并问他飞机到达的时间。
   You phone to ask your friend the date and time of his arrival in China.

3. 你想让朋友给你订一张回去的机票，用汉语怎么说？
   How would you ask your friend in Chinese to book a return air ticket for you?

4. 你想预订条件好一点儿的舱位,该怎么对售票员说？
   How would you tell the ticket seller in Chinese that you would prefer a better seat for your flight?

七、汉字点击。

Open the CD to view the characters,

请通过光盘点击认读、书写下面的汉字。请注意汉字书写时的笔顺。

Open the CD to view and write the characters with special attention to their stroke-order.

舱　航　址　离　返　程

文化点击　Cultural Points

中国的铁路客运

对大多数中国人来说，火车是他们首选的交通工具。中国的火车按速度大致分为直达特快旅客列车（"Z"打头）、特快列车（"T"打头）、快速列车（"K"打头)和四位数字编号的普通列车四种。按车厢内的条

229

件分，有卧席和坐席两种。卧席又分软卧和硬卧。坐席也分软座和硬座两种。预定火车票，一般只能提前四天到十天，大多数车次目前不能买往返程票。

Passenger Trains in China

For the great majority of Chinese people trains are their fist choice as a means of transport. Chinese passenger trains may be divided into four types in accordance with their speed: the Special Through Trains (number headed with "Z"), the Special Express (number headed with "T"), the Fast Trains (number headed with "K") and the Standard Trains numbered with four figures. There are both sleeping carriages and those with seats. The sleepers may be further divided into soft berths and hard berths. This also applies to the seating carriages. Passengers may book their tickets four to ten days in advance. For most trains only single tickets are available at the moment.

Dì-èrshí kè　Wǒ jiù xǐhuan yùndòng
第 20 课　我 就 喜欢　运动
Lesson 20　I Do Like Sports

导 学　Guiding Remarks

　　商务工作是非常紧张和忙碌的。运动和娱乐是休闲放松的好方法，也是公司和客户之间建立良好商务关系的好方法。运动和娱乐有许多种，你会用汉语说出几种吗？

　　Business lives are all too often tense and overly busy. Sports and recreation offer relaxation and opportunity, and also help establish good relation between companies and customers. Can you name some forms of sports and recreation in Chinese?

课文 Text

A

麦克正在高尔夫球场跟朋友打球，朋友的球进洞。
Mike is playing golf with a friend who has succeeded in driving the ball into the hole.

Màikè:　　　　　Ō, nǐ yíng le. Nǐ dǎ de zhēn hǎo.
麦克:(跷起大拇指)噢，你 赢 了。你 打得 真 好。
Mike: (Thumbing up) Oh, you have won. Well done!

Péngyou:　　Guòjiǎng le. Nǐ dǎ de yě hěn hǎo.
朋友:(笑)过奖 了。你 打得也 很 好。
Friend: (Smiling) You flatter me. You are also a good player.

Màikè: Nǐ jīngchāng dǎ gāo'ěrfū ma?
麦克:你 经常 打 高尔夫 吗?
Mike: Do you often play golf?

Péngyou：Bù, wǒ gèng xǐhuan dǎ wǎngqiú.

朋友：不，我 更 喜欢 打 网球。

Friend：No, I prefer tennis.

Màikè：Wǒ yě xǐhuan, gǎitiān zánmen bǐsài yíxià.

麦克：我 也 喜欢, 改天 咱们 比赛 一下。

Mike：I like tennis too. Shall we play a match some day or other?

Péngyou： Hǎo a. Jīntiān nǐ shū le, zěnmebàn?

朋友：(高兴状)好 啊。今天 你 输 了，怎么办？

Friend：(Gladly) Why not? What will you do if you are beaten today?

Màikè：Wǎnshang wǒ qǐng nǐ hē jiǔ.

麦克：晚上 我 请 你 喝酒。

Mike：I'll treat you to wine this evening.

Péngyou：Wǒ bù hē jiǔ, nǐ qǐng wǒ chàng kǎlā OK.

朋友：我 不 喝酒，你 请 我 唱 卡拉OK。

Friend：But I don't drink wine. I would rather you invited me to karaoke.

Màikè：Wǒ bú huì chàng gē.

麦克：我 不 会 唱 歌。

Mike：But I am a bad singer.

Péngyou：Nà nǐ xǐhuan shénme?

朋友：那你 喜欢 什么？

Friend：What would you like to do then?

Màikè：Wǒ xǐhuan tīng yīnyuè.

麦克：我 喜欢 听 音乐。

Mike：I like listening to music.

Péngyou：Nà zánmen tīng yīnyuèhuì qù ba.

朋友：那 咱们 听 音乐会 去 吧。

Friend：Let's go to a concert.

Màikè： Hǎo a.

麦克：(笑)好 啊。

Mike：(Smiling) A good idea!

B

在燕山度假村。绿草如茵的高尔夫球场。小王和几个客户坐在草地上，一边喝饮料一边聊天。旁边放着高尔夫球杆。

In Yanshan Vacation Village the golf course stretches over smooth greens. Xiao Wang and his customers are sitting on the grass, enjoying drinks and chatting with clubs aside.

Kèhù A:　　　　Zhè dìfang tài měi le.
客户A:(看前方)这　地方　太　美　了。
Customer A:(Looking ahead) What a beautiful place!

Kèhù B:　　　　　Shì a, zhēn shì gè xiūxián de hǎo dìfang.
客户B:(端着杯子)是　啊，真　是　个　休闲　的　好　地方。
Customer B:(Holding a glass) True. It's an ideal vacation resort.

Wáng Guāng: Zhūwèi xǐhuan, xià cì zài lái wánr.
王　光:诸位　喜欢，下次　再来　玩儿。
Wang Guang: If you like it here, please come again.

Kèhù C： Wáng jīnglǐ, shuō huà yào suànshù a.
客户 C：(开玩笑)王 经理，说 话 要 算数 啊。
Customer C：(Jokingly) Manager Wang, you mean what you said?

Wáng Guāng： Dāngrán suànshù la, zhūwèi dōu shì lǎo kèhù,
王 光：(真诚的样子)当然 算数 啦，诸位 都 是 老 客户，
BM gōngsī zuì jiǎng xìnyòng.
BM 公司 最 讲 信用。
Wang Guang：(Sincerely) Sure I do. You are our regular customers, and BM
Company is trustworthy.

Liú jīnglǐ： Āi, Màizǒng ne?
刘 经理：(突然想起)哎，麦总 呢?
Liu：(Suddenly) Where's Maizong?

Wáng Guāng：Zài nàbiān sàn bù ne.
王 光：在 那边 散 步呢。
Wang Guang：He is walking over there.

> 宾馆前边的花园里，麦克在散步。
> Mike is going for a stroll in the garden in front of the hotel.

Kèhù A：Wáng jīnglǐ yǒu shénme àihǎo?
客户 A：王 经理 有 什么 爱好?
Customer A：Manager Wang, What kind of recreation do you go in for?

Wáng Guāng：Wǒ xǐhuan dǎ qiú、yóu yǒng、chàng gē、tiào wǔ, bú ài kàn shū.
王 光：我 喜欢 打球、游 泳、 唱 歌、跳 舞，不爱 看书。
Wang Guang：I like ball games, swimming, singing, dancing, but not reading.

Kèhù A： Wǒ yě xǐhuan yùndòng, bú ài kàn shū xuéxí.
客户 A：(笑)我 也 喜欢 运动， 不 爱 看 书 学习。
Customer A：(Smiling) Me too. All sports, no reading.

Wáng Guāng： Lǐ Lín zuì ài kàn shū、kàn diànshì、
王 光：(故意压低声音)李 琳 最 爱 看 书、 看 电视、
kàn diànyǐng, bú ài yùndòng.
看 电影， 不 爱 运动。
Wang Guang：(Whispering) Li Lin is fond of reading, watching TV and going to movie.
She dislikes sports.

众人笑。

Everybody is laughing.

Kèhù B：　　　Āi，　Lǐ xiǎojiě ne?　Gāngcái hái　zài zhèr.

客户 B：(突然发现)哎，李 小姐 呢? 刚才 还 在 这儿。

Customer B：(Suddenly realizing) Where's Miss Li? She was here just now.

Kèhù C：　　　Zài nàbiān kàn shū ne.

客户 C：(指着)在 那边 看 书 呢。

Customer C：(Pointing) She's reading over there.

不远处，李琳正坐在草地上看书。

Li Lin is absorbed in a book on the grass nearby.

词语　　　Word List

1. 赢	yíng	(动)	to win	(v.)
2. 经常	jīngcháng	(副)	often	(adv.)
3. 高尔夫	gāo'ěrfū	(名)	golf	(n.)
4. 更	gèng	(副)	more, still more	(adv.)
5. 网球	wǎngqiú	(名)	tennis	(n.)
6. 比赛	bǐsài	(动)	to compete	(v.)
7. 输	shū	(动)	to lose	(v.)
8. 晚上	wǎnshang	(名)	evening	(n.)
9. 唱歌	chàng gē	(动)	to sing	(v.)
10. 音乐	yīnyuè	(名)	music	(n.)
11. 音乐会	yīnyuèhuì	(名)	concert	(n.)
12. 休闲	xiūxián	(动)	to relax, at one's leisure	(v.)
13. 诸位	zhūwèi	(代)	everybody	(pron.)
14. 说话	shuō huà	(动)	to speak	(v.)
15. 算数	suànshù	(动)	to count	(v.)
16. 啦	la	(助)		(aux.)
17. 最	zuì	(副)	most	(adv.)

18. 讲	jiǎng	（动）	to talk; to attach importance to	(v.)
19. 信用	xìnyòng	（名）	trustworthiness, credit	(n.)
20. 散步	sàn bù	（动）	to go for a walk	(v.)
21. 爱好	àihào	（动）	to be fond of	(v.)
22. 打球	dǎ qiú		to play (of ball games)	
23. 游泳	yóu yǒng	（动）	to swim	(v.)
24. 跳舞	tiào wǔ	（动）	to dance	(v.)
25. 爱	ài	（动）	to love	(v.)
26. 书	shū	（名）	book	(n.)
27. 运动	yùndòng	（动）	to do physical exercises	(v.)
28. 学习	xuéxí	（动）	to study	(v.)
29. 电视	diànshì	（名）	television	(n.)
30. 刚才	gāngcái	（副）	just now	(adv.)

语言点链接　*Language Points*

1. "我更喜欢打网球"

"Wǒ gèng xǐhuan dǎ wǎngqiú"

这个句子的意思是和打高尔夫球相比，麦克的朋友喜欢打网球的程度超过前者。"更"用于两个事物之间的比较时，表示后者比前者的程度或情况又进一步。再如：这台电脑漂亮，那台更漂亮。他忙，我更忙。这个月生意好，下个月会更好。

It means "I prefer tennis to golf"."gèng" is used in the sense of "more" or "even more" in a comparison. E.g.."Zhè tái diànnǎo piàoliang，nà tái gèng piàoliang." "Tā máng, wǒ gèng máng." "Zhè gè yuè shēngyi hǎo，xià gè yuè huì gèng hǎo."

2. "麦总呢？ / 李小姐呢？"

"Màizǒng ne?/Lǐ xiǎojiě ne?"

"呢"在这里是问处所，相当于"在哪儿"再如：王经理呢？文件呢？张师傅呢？笔呢？

Here "ne" is equal to "zài nǎr". E. g.."Wáng jīnglǐ ne？""Wénjiàn ne?""Zhāng shīfu ne？""Bǐ ne？"

3."在那边散步呢／在那边看书呢"

"Zài nàbiān sàn bù ne /zài nàbiān kàn shū ne"

两个句子的意思是麦克正在散步、李琳正在看书。汉语的"在……呢"表示动作正在进行。分别用副词"在"或用语气词"呢"也表示动作的进行。例如：他在做什么？——他在看书。他做什么呢？——他看书呢。他在做什么呢？——他在看书呢。我们可以用"没有"来否定这样的句子，但多以答句的形式出现。例如：他在看书吗？→没有。他看书呢吗？→没有。

These two sentences mean "Mike is walking over there." "Li Lin is reading there." The sentence pattern of "zài…ne" indicates the progress of an action. The two characters can also be used separately in such a sense. E.g.."Tā zài zuò shénme? ——Tā zài kàn shū." "Tā zuò shénme ne? —— Tā kàn shū ne." "Tā zài zuò shénme ne ?—— Tā zài kàn shū ne." The negative form of such sentences can be formed with a "méiyǒu", but often serves as an answer. E.g.."Tā zài kàn shū ma?——Méiyǒu." "Tā kàn shū ne ma?—— Méiyǒu."

练 习　　　Exercises

一、跟读并辨别下面音节。

Read the following syllables after the tape and distinguish one from another.

xǐhuan–xí guàn　　　xiūxián–qiūqiān

xìnyòng–xìnyù　　　yóuyǒng–yóuyú

二、听录音并熟读下面的句子。

Listen to the recording and read the following sentences until you are fluent.

1.Nǐ jīngcháng dǎ gāo'ěrfū ma?

　你　经常　　打　高尔夫 吗?

2.Wǒ gèng xǐhuan dǎ wǎngqiú.

　我　更　喜欢　打　网球。

3.Wǒ bù hē jiǔ, nǐ qǐng wǒ chàng kǎlā OK.

　我　不喝酒，你　请　我　唱　卡拉OK。

4.Wǒ bù huì chàng gē.

　我　不　会　唱　歌。

5. Wǒ xǐhuan tīng yīnyuè.
　　我　喜欢　听　音乐。

6. Zhè dìfang tài měi le!
　　这　地方　太美了!

7. Zhēn shì gè xiūxián de hǎo dìfang.
　　真　是　个　休闲　的好　地方。

8. Zhūwèi xǐhuan, xià cì zài lái wánr.
　　诸位　喜欢，下次　再　来玩儿。

9. Zài nàbiān sàn bù ne.
　　在　那边　散步呢。

10. Wǒ xǐhuan dǎ qiú、yóu yǒng、chàng gē、tiào wǔ,
　　我　喜欢　打球、游泳、唱　歌、跳舞，
　　bú ài kàn shū.
　　不爱　看书。

11. Wǒ yě xǐhuan yùndòng, bú ài kàn shū xuéxí.
　　我也　喜欢　运动，不爱看书学习。

12. Lǐ Lín zuì ài kàn shū、kàn diànshì、kàn diànyǐng,
　　李琳　最爱看书、看电视、看　电影，
　　bú ài yùndòng.
　　不爱　运动。

三、请让我们一起再学习几个常用的词语，然后做练习。

Let's learn some more commonly used words before we do the exercises.

补充词语　Supplementary Words

保龄球	bǎolíngqiú	（名）	tenpin bowling	(n.)
平时	píngshí	（名）	usually	(n.)
京剧	jīngjù	（名）	Beijing Opera	(n.)
长安大戏院	Cháng'ān dàxìyuàn	（专名）	Chang'an Grand Theatre	(pn.)
除了	chúle	（连）	except; besides	(conj.)
上网	shàng wǎng		be on the internet	

商务汉语入门

选择填空 Fill in the Blanks with Appropriate Words

gāo'ěrfū（高尔夫）	bǎolíngqiú（保龄球）
diànyǐng（电影）	yīnyuè（音乐）
àihào（爱好）	yùndòng（运动）
jīngjù（京剧）	chàng gē（唱歌）
xuéxí（学习）	tiào wǔ（跳舞）
kǎlā OK（卡拉 OK）	bǐsài（比赛）
xǐhuan（喜欢）	shàng wǎng（上网）

1. A：Nǐ dǎ de zhēn hǎo.

   A：你 打 得 真 好。

   B：Nǎli nǎli.

   B：哪里 哪里。

   A：Nǐ jīngcháng dǎ _____ ma?

   A：你 经常 打 _____ 吗？

   B：Bù, wǒ gèng xǐhuan dǎ

   B：不，我 更 喜欢 打 _____。

2. A：Nín píngshí àihào shénme?

   A：您 平时 爱好 什么？

   B：Wǒ xǐhuan kàn _____ tīng _____ nǐ ne?

   B：我 喜欢 看 _____、听 _____。你 呢？

   A：Wǒ _____ Hái xǐhuan kàn

   A：我 _____。还 喜欢 看 _____。

   B：Tài hǎo le, wǒ yě xǐhuan _____ Gǎitiān wǒ qǐng

   B：太 好 了，我 也 喜欢 _____。改天 我 请

   nǐ qù Cháng'ān dàxìyuàn kàn zuì hǎo de

   你去 长安 大戏院 看 最 好 的 _____。

3. A：Lái, zuò xià xiūxi yíxià, hē diǎn píjiǔ.

   A：来， 坐 下 休息 一下，喝 点 啤酒。

   B：Hǎo de, xièxie.

   B：好 的，谢谢。

   A：Chúle hē jiǔ, nǐ hái xǐhuan shénme?

   A：除了 喝酒，你 还 喜欢 什么？

   B：Wǒ hái xǐhuan

   B：我 还 喜欢 _____、_____。

A：Nǐ xǐhuan chàng　　　　ma?

A：你　喜欢　唱＿＿＿＿吗?

B：Hěn xǐhuan.

B：很　喜欢。

A：Nà hǎo, gǎitiān zánmen yìqǐ qù

A：那　好，改天　咱们　一起　去＿＿＿＿。

4.A：Bié kàn shū le, xiūxi yíhuìr ba.

A：别　看　书　了，休息　一会儿　吧。

B：Hǎo de, xièxie.

B：好　的，谢谢。

A：Chúle kàn shū, nǐ hái　　　　shénme?

A：除了　看　书，你　还＿＿＿＿什么?

B：Hái xǐhuan　　　　　　Wǒ bú ài

B：还　喜欢＿＿＿＿。我　不　爱＿＿＿＿，

jiù xǐhuan kàn shū

就　喜欢　看　书＿＿＿＿。

四、完成下列对话。

Complete the following dialogues.

1.A：Zhè dìfang zhēn　　　　shì gè　　　　de hǎo dìfang.

A：这　地方　真＿＿＿，是　个＿＿＿的　好　地方。

B：Nǐ xǐhuan, gǎitiān zài qǐng nǐ lái

B：你　喜欢，改天　再　请　你　来＿＿＿＿。

A：Nǐ shuō huà suànshù?

A：你　说　话　算数?

B：Dāngrán le, zánmen shì lǎo péngyou ma.

B：当然　了，咱们　是　老　朋友　嘛。

2.A：Nǐ píngshí xǐhuan shénme?

A：你　平时　喜欢　什么?

B：Wǒ xǐhuan

B：我　喜欢＿＿＿＿、＿＿＿＿。

A：Tài hǎo le, wǒ yě ài tīng

A：太　好　了，我　也　爱　听＿＿＿＿。

B：Nà hǎo, gǎitiān yìqǐ qù Běijīng　　　　tīng.

B：那　好，改天　一起　去　北京＿＿＿＿厅。

241

3.A：Nǐ xǐhuan dǎ _____ ma?

　A：你 喜欢 打 _____ 吗?

　B：Duì.

　B：对。

　A：Zuì xǐhuan dǎ shénme qiú?

　A：最 喜欢 打 什么 球?

　B：_____ dōu xǐhuan.

　B：_____、_____ 都 喜欢。

　A：Wǒ yě xǐhuan dǎ _____ xià zhōuliù wǒmen

　A：我 也 喜欢 打 _____，下 周六 我们

　　　　　　yíxià.

　　　_____ 一下。

　B：Hǎo de.

　B：好 的。

4.A：Liú jīnglǐ, hǎo jiǔ bú jiàn le, hái hǎo ba?

　A：刘 经理，好 久 不 见 了，还 好 吧?

　B：Hái hǎo. Wǎnshang wǒ qǐng nǐ

　B：还 好。 晚上 我 请 你 _____。

　A：Wǒ zuìjìn bù xiǎng

　A：我 最近 不 想 _____。

　B：Nà qù dǎ

　B：那 去 打 _____。

　A：Bù xiǎng

　A：不 想 _____。

　B：Nà nǐ xiǎng zuò shénme?

　B：那 你 想 做 什么?

　A：Wǒ xiǎng sànsan bù.

　A：我 想 散散 步。

　B：Nà wǎnshang wǒ péi nǐ qù

　B：那 晚上 我 陪 你 去 _____。

五、请根据课文内容回答下列问题。

Answer the following questions by using the information given in the text.

1. Màikè de péngyou zuì xǐhuan dǎ shénme qiú?
   麦克　的　朋友　最　喜欢　打　什么　球?

2. Màikè wǎnshang yào qǐng péngyou zuò shénme?
   麦克　晚上　要　请　朋友　做　什么?

3. Màikè xǐhuan shénme?
   麦克　喜欢　什么?

4. Kèhù juéde wánr de dìfang zěnme yàng?
   客户　觉得　玩儿　的　地方　怎么　样?

5. Wáng jīnglǐ yǒu shénme àihào?
   王　经理　有　什么　爱好?

6. Lǐ Lín zuì xǐhuan shénme?
   李　琳　最　喜欢　什么?

六、下面的情景你知道该怎么说吗？请试一试。

Try to express yourself in the following situations.

1. 朋友问你喜欢什么运动，请你用汉语告诉他。
   Give your answer to "what are your favourite sports" in Chinese.

2. 你不喜欢运动，朋友问你有什么其他的爱好，你给他介绍一下。
   When asked, you explain what your hobbies are though you do not like any sports.

3. 你对玩儿的地方很满意，还想再来，应该怎么说？
   How would you express your enjoyment of the place you are visiting and your wish to come again?

4. 朋友想请你喝酒，你不想喝，怎么拒绝他？
   How would you politely refuse to drink any wine that your friend offer you?

七、汉字点击。

Open the CD to view the characters.

请通过光盘点击认读、书写下面的汉字。请注意汉字书写时的笔顺。

Open the CD to view and write the characters with special attention to their stroke-order.

赢 奖 常 尔 夫 更 球 赛 唱 拉 歌 闲 诸 玩 话 啦
讲 散 步 爱 游 泳 跳 舞 书 动 学 习 视 影 刚 才

文化点击 Cultural Points

中国人的日常娱乐与运动

在中国，传统的娱乐方式有打牌、打麻将、看戏等。现在比较流行的娱乐方式有唱卡拉OK、跳舞、打保龄球等。除了各种娱乐，中国人的运动方式也是多种多样的，常见的有跑步、打太极拳、练气功、练武术以及打篮球、乒乓球、羽毛球等球类运动。近些年来也开始流行打网球、高尔夫球等。随着中国经济的发展和人民生活水平的提高，旅行已经成为中国人的一种新的休闲娱乐方式。

Chinese Daily Recreation and Sports

Traditional Chinese recreation is to play cards, mahjong, or go to the theatre etc. Nowadays, popular recreational activities are karaoke, dancing, and bowling. Apart from them, Chinese people take delight in jogging, taijiquan (shadow boxing), qigong martial arts (kungfu), basketball, pingpong, badminton and other ball games. Newly popular games are tennis and golf. Along with national economic development and the rise of people's living standards, tourism has itself become a new form of recreation.

词语索引

Word Index

参观	cānguān	（动）	to look round	(v.)	(13)
参加	cānjiā	（动）	to participate	(v.)	(13)
参展	cān zhǎn	（动）	to attend an exhibition	(v.)	(5)
餐厅	cāntīng	（名）	dining room	(n.)	(5)
层	céng	（量）	floor	(mw.)	(3)
插	chā	（动）	to insert	(v.)	(15)
查	chá	（动）	to check	(v.)	(14)
查验	cháyàn	（动）	to examine	(v.)	(15)
产品	chǎnpǐn	（名）	product	(n.)	(6)
长	chǎng	（形）	long	(adj.)	(11)
长安大戏院	Cháng'ān dà xìyuàn	（专名）	Chang'an Grand Theatre	(pn.)	(20)
长城	Chángchéng	（专名）	the Great Wall	(pn.)	(1)
唱	chàng	（动）	to sing	(v.)	(7)
唱歌	chàng gē	（动）	to sing	(v.)	(20)
超市	chāoshì	（名）	supermarket	(n.)	(2,3)
朝	cháo	（介）	face	(prep.)	(3)
炒	chǎo	（动）	to stir-fry	(v.)	(7)
称呼	chēnghu	（动）	to call, to address	(v.)	(18)
成都	Chéngdū	（专名）	Chengdu	(pn.)	(7)
迟到	chídào	（动）	be late	(v.)	(5)
出	chū	（动）	to occur	(v.)	(16)
出差	chū chāi	（动）	be on a business trip	(v.)	(5)
出去	chūqù	（动）	to go out	(v.)	(1)
除了	chúle	（连）	except; besides	(conj.)	(20)
厨房	chúfáng	（名）	kitchen	(n.)	(9)
处长	chùzhǎng	（名）	head of a department	(n.)	(15)
传真机	chuánzhēnjī	（名）	facsimile device	(n.)	(16)
吹	chuī	（动）	To dry with a dryer	(v.)	(11)
存	cún	（动）	to deposit	(v.)	(8)
存款单	cúnkuǎndān	（名）	pay-in slip	(n.)	(8)
存折	cúnzhé	（名）	deposit book	(n.)	(8)
错	cuò	（形）	wrong	(adj.)	(1)
打	dǎ	（动）	to dial	(v.)	(1)
打不通	dǎbutōng		unable to get through		(1)
打车	dǎ chē		to take a taxi		(2,3)
打卡	dǎ kǎ		to punch attendance		(16)

打球	dǎ qiú		to play (of ball games)		(20)
打算	dǎsuan	(动)	to plan	(v.)	(19)
打印机	dǎyìnjī	(名)	printer	(n.)	(16)
打折	dǎ zhé	(动)	to give a discount	(v.)	(19)
打针	dǎ zhēn		to inject		(12)
大夫	dàifu	(名)	doctor	(n.)	(12)
单位	dānwèi	(名)	unit	(n.)	(18)
单子	dānzi	(名)	slip	(n.)	(8)
当然	dāngrán	(副)	of course	(adv.)	(11)
倒	dào	(动)	to pour	(v.)	(12)
到期	dào qī		to expire		(13)
得	de	(助)		(aux.)	(4)
得	děi	(动)	should, must	(v.)	(5)
低	dī	(形)	low	(adj.)	(6)
地下	dìxià	(名)	basement	(n.)	(3)
地址	dìzhǐ	(名)	address	(n.)	(19)
点	diǎn	(动)	to order (dishes)	(v.)	(7)
点	diǎn	(名)	o'clock	(n.)	(1)
电话	diànhuà	(名)	telephone	(n.)	(1)
电器	diànqì	(名)	appliance	(n.)	(3)
电视	diànshì	(名)	television	(n.)	(20)
电梯	diàntī	(名)	elevator	(n.)	(3)
电影	diànyǐng	(名)	film	(n.)	(5)
掉	diào	(动)	to lose	(v.)	(15)
订	dìng	(动)	to book	(v.)	(19)
定金	dìngjīn	(名)	deposit	(n.)	(9)
东	dōng	(名)	east	(n.)	(3)
东西	dōngxi	(名)	thing	(n.)	(10)
懂	dǒng	(动)	to understand	(v.)	(4)
度	dù	(量)	degree	(mw.)	(12)
端	duān	(动)	to carry, to hold with both hands	(v.)	(7)
短	duǎn	(形)	short	(adj.)	(11)
兑换单	duìhuàndān	(名)	exchange slip	(n.)	(8)
多长	duō cháng		how long		(9)
多大	duō dà		how big		(9)
多少	duōshao	(代)	what (number)	(pron.)	(1)

发票	fāpiào	(名)	receipt	(n.)	(2)
发烧	fā shāo	(动)	to run a fever	(v.)	(12)
法国	Fǎguó	(名)	France	(pn.)	(13)
法语	Fǎyǔ	(名)	French (language)	(n.)	(4)
发	fā	(名)	hair	(n.)	(3)
翻译	fānyì	(动)	to translate, to interpret	(v.)	(4)
返程	fǎnchéng	(名)	return journey	(n.)	(19)
饭	fàn	(名)	food, meal	(n.)	(5)
饭店	fàndiàn	(名)	hotel	(n.)	(1)
方案	fāng'àn	(名)	plan	(n.)	(5)
方便	fāngbiàn	(形)	convenient	(adj.)	(17)
房间	fángjiān	(名)	room	(n.)	(1)
房子	fángzi	(名)	house	(n.)	(9)
房租	fángzū	(名)	rent paid for a room/house	(n.)	(9)
访问	fǎngwèn	(动)	to visit	(v.)	(13)
放	fàng	(动)	to put	(v.)	(10)
放行	fàngxíng	(动)	to let pass	(v.)	(15)
飞机	fēijī	(名)	aeroplane	(n.)	(1)
费	fèi	(名)	charge, fee	(n.)	(10)
分	fēn	(名)	minute	(n.)	(5)
分钟	fēnzhōng	(名)	minute	(n.)	(3)
份	fèn	(量)	copy	(mw.)	(3)
风景	fēngjǐng	(名)	scenery	(n.)	(18)
复印	fùyìn	(动)	to xerox	(v.)	(16)
复印机	fùyìnjī	(名)	xerox copier	(n.)	(16)
复杂	fùzá	(形)	complicated	(adj.)	(11)
该	gāi	(动)	must	(v.)	(5)
改天	gǎitiān	(名)	some day in future	(n.)	(15)
干净	gānjìng	(形)	clean	(adj.)	(10)
赶不上	gǎnbushàng		be late for		(14)
感冒	gǎnmào	(动)	to catch a cold	(v.)	(12)
刚才	gāngcái	(副)	just now	(adv.)	(20)
高	Gāo	(专名)	surname	(pn.)	(17)
高	gāo	(形)	high, tall	(adj.)	(6)
高尔夫	gāo'ěrfū	(名)	golf	(n.)	(20)
告诉	gàosu	(动)	to tell	(v.)	(11)
歌	gē	(名)	song	(n.)	(7)

护照	hùzhào	(名)	passport	(n.)	(8)
化妆品	huàzhuāngpǐn	(名)	cosmetics	(n.)	(3)
话	huà	(名)	speech, spoken language	(n.)	(4)
坏	huài	(形)	bad	(adj.)	(10)
换	huàn	(动)	to exchange	(v.)	(8)
黄	Huáng	(专名)	surname	(pn.)	(18)
回家	huí jiā		to return home		(12)
汇价	huìjià	(名)	exchange rate	(n.)	(8)
会客室	huìkèshì	(名)	reception room	(n.)	(9)
会议室	huìyìshì	(名)	meeting room	(n.)	(9)
或者	huòzhě	(连)	or	(conj.)	(14)
货	huò	(名)	goods	(n.)	(14)
机场	jīchǎng	(名)	airport	(n.)	(5)
机票	jīpiào	(名)	airline ticket	(n.)	(19)
鸡蛋	jīdàn	(名)	egg	(n.)	(7)
急	jí	(形)	anxious	(adj.)	(1)
几	jǐ	(数)	a few, which	(nu.)	(3)
季节	jìjié	(名)	season	(n.)	(14)
寄	jì	(动)	to post	(v.)	(14)
记	jì	(动)	to take (a note);to remember	(v.)	(19)
加班	jiā bān	(动)	to work overtime	(v.)	(17)
家	jiā	(量)		(mw.)	(11)
价格	jiàgé	(名)	price	(n.)	(6)
捡	jiǎn	(动)	to pick up	(v.)	(15)
剪	jiǎn	(动)	to cut with scissors	(v.)	(11)
检验	jiǎnyàn	(动)	to examine	(v.)	(17)
件	jiàn	(量)	piece, item	(mw.)	(6)
键盘	jiànpán	(名)	keyboard	(n.)	(16)
讲	jiǎng	(动)	to talk; to attach importance to	(v.)	(20)
讲	jiǎng	(动)	to speak	(v.)	(4)
胶带	jiāodài	(名)	sticky tape	(n.)	(16)
叫	jiào	(动)	to call; to be called	(v.)	(18)
接	jiē	(动)	to meet	(v.)	(2)
结账	jié zhàng	(动)	to pay for something	(v.)	(7)
介绍	jièshào	(动)	to introduce	(v.)	(9)

借	jiè	（动）	to borrow, to lend	(v.)	(14)
斤	jīn	（量）	jin (half a kilogram)	(mw.)	(6)
紧	jǐn	（形）	tight	(adj.)	(13)
近来	jìnlái	（名）	these days	(n.)	(6)
进	jìn	（动）	to import, to buy in	(v.)	(6)
京北大厦	Jīngběi Dàshà	（专名）	Jingbei Mansion	(pn.)	(3)
京剧	jīngjù	（名）	Beijing Opera	(n.)	(20)
经常	jīngcháng	（副）	often	(adv.)	(20)
酒	jiǔ	（名）	wine	(n.)	(7)
酒吧	jiǔbā	（名）	bar	(n.)	(2)
居住	jūzhù	（动）	to live	(v.)	(9)
决定	juédìng	（动）	to decide	(v.)	(18)
卡	kǎ	（名）	card	(n.)	(8)
卡拉OK	kǎlā OK	（名）	karaoke	(n.)	(7)
开	kāi	（动）	to open	(v.)	(1)
开会	kāi huì	（动）	to attend a meeting	(v.)	(10)
开始	kāishǐ	（动）	to begin	(v.)	(5)
开演	kāi yǎn	（动）	to start (to perform)	(v.)	(5)
开张	kāizhāng	（动）	to open (of shops)	(v.)	(11)
看	kàn	（动）	to look at; to see	(v.)	(3)
考察	kǎochá	（动）	to observe	(v.)	(13)
咳嗽	késou	（动）	to cough	(v.)	(12)
可乐	kělè	（名）	Coca-Cola	(n.)	(7)
可能	kěnéng	（副）	possibly	(adv.)	(15)
可是	kěshì	（连）	but	(conj.)	(6)
客人	kèrén	（名）	guest, visitor	(n.)	(5)
客厅	kètīng	（名）	sitting room	(n.)	(9)
空	kōng	（名）	freedom	(n.)	(1)
空调	kōngtiáo	（名）	air conditioner	(n.)	(9)
块	kuài	（量）	piece, slice	(mw.)	(6)
快	kuài	（副）	hurry up	(adv.)	(5)
快递	kuàidì	（动）	to deliver fast	(v.)	(14)
会计室	kuàijìshì	（名）	accounting office	(n.)	(14)
啦	la	（助）		(aux.)	(20)
来不及	láibují		cannot make it		(5)
来得及	láidejí		there is still time, not late		(5)
蓝	lán	（形）	blue	(adj.)	(8)

劳驾	láojià	（动）	excuse me	(v.)	(3)
老	lǎo	（形）	old, regular	(adj.)	(6)
离开	líkāi	（动）	to leave	(v.)	(19)
里边	lǐbiān	（名）	inside	(n.)	(7)
理	lǐ	（动）	to cut (one's hair)	(v.)	(11)
理发	lǐ fà		to have a haircut		(11)
理发店	lǐfàdiàn	（名）	barber's shop	(n.)	(11)
厉害	lìhai	（形）	serious	(adj.)	(12)
联系	liánxì	（动）	to contact	(v.)	(1)
两	liǎng	（数）	two	(num.)	(9)
量	liáng	（动）	to take; to measure	(v.)	(12)
领	lǐng	（动）	to get	(v.)	(16)
楼	lóu	（名）	building	(n.)	(3)
旅行	lǚxíng	（动）	to tour	(v.)	(5)
马	Mǎ	（专名）	surname	(pn.)	(7)
马上	mǎshàng	（副）	immediately	(adv.)	(4)
嘛	ma	（语气）		(mp.)	(6)
卖	mài	（动）	to sell	(v.)	(6)
毛病	máobìng	（名）	problem	(n.)	(16)
没	méi	（副）	not	(adv.)	(1)
每	měi	（代）	every	(pron.)	(6)
美国	Měiguó	（专名）	United States of America	(pn.)	(4)
美元	měiyuán	（名）	U. S. dollar	(n.)	(8)
米饭	mǐfàn	（名）	cooked rice	(n.)	(7)
秘密	mìmì	（名）	secret	(n.)	(11)
密码	mìmǎ	（名）	secret code, PIN	(n.)	(8)
面条	miàntiáo	（名）	noodles	(n.)	(7)
名牌	míngpái	（名）	famous brand	(n.)	(11)
明白	míngbai	（形）	clear	(adj.)	(4)
目录	mùlù	（名）	catalogue	(n.)	(6)
拿出	náchū	（动）	to put forward	(v.)	(5)
哪儿	nǎr	（代）	where	(pron.)	(2)
哪个	nǎge	（代）	which	(pron.)	(18)
哪里	nǎli	（代）	not at all, where	(pron.)	(4)
那儿	nàr	（代）	there	(pron.)	(11)
那么	nàme	（代）	so	(pron.)	(11)

难	nán	（形）	difficult	(adj.)	(4)
难受	nánshòu	（形）	terribly sick	(adj.)	(12)
年	nián	（名）	year	(n.)	(5)
牛肉	niúròu	（名）	beef	(n.)	(7)
弄	nòng	（动）	to do; to make	(v.)	(15)
挪	nuó	（动）	to remove	(v.)	(10)
哦	ò	（叹）	oh	(int.)	(16)
欧元	ōuyuán	（名）	Euro	(n.)	(8)
牌子	páizi	（名）	brand	(n.)	(3)
盘	pán	（名）	disk	(n.)	(16)
旁边	pángbiān	（名）	side	(n.)	(3)
陪	péi	（动）	to escort	(v.)	(11)
批	pī	（量）	batch	(mw.)	(15)
啤酒	píjiǔ	（名）	beer	(n.)	(7)
便宜	piányi	（形）	cheap	(adj.)	(6)
片	piàn	（量）	tablet	(mw.)	(12)
漂亮	piàoliang	（形）	beautiful	(adj.)	(6)
平安路	Píng'ān Lù	（专名）	Ping'an Road	(pn.)	(3)
平方米	píngfāngmǐ	（量）	square metre	(mw.)	(9)
平米	píngmǐ	（量）	square metre	(mw.)	(9)
平时	píngshí	（名）	usually	(n.)	(20)
苹果	píngguǒ	（名）	apple	(n.)	(6)
葡萄	pútao	（名）	grapes	(n.)	(4)
葡萄酒	pútaojiǔ	（名）	grape wine	(n.)	(7)
其他	qítā	（代）	other, rest	(pron.)	(8)
起飞	qǐfēi	（动）	to take off (of aircraft)	(v.)	(19)
起来	qǐlái	（动）	to begin, to be up	(v.)	(8)
卡	qiǎ	（动）	to get stuck	(v.)	(15)
千	qiān	（数）	thousand	(nm.)	(8)
铅笔	qiānbǐ	（名）	pencil	(n.)	(16)
签证	qiānzhèng	（动）	to get a passport visaed	(v.)	(13)
前边	qiánbiān	（名）	front	(n.)	(3)
钱	qián	（名）	money	(n.)	(6)
墙	qiáng	（名）	wall	(n.)	(8)
请假	qǐng jià		to ask for leave		(12)
请问	qǐngwèn	（动）	May I ask	(v.)	(3)
曲别针	qūbiézhēn	（名）	paper clip	(n.)	(4)

取	qǔ	(动)	to get	(v.)	(14)
取款单	qǔkuǎndān	(名)	drawing-out slip	(n.)	(8)
然后	ránhòu	(连)	after	(conj.)	(2)
让	ràng	(动)	to let	(v.)	(5)
热	rè	(形)	hot	(adj.)	(11)
认真	rènzhēn	(形)	careful	(adj.)	(17)
日	rì	(名)	date	(n.)	(5)
日历	rìlì	(名)	diary	(n.)	(17)
日元	rìyuán	(名)	Japanese yen	(n.)	(8)
散步	sàn bù	(动)	to go for a walk	(v.)	(20)
嗓子	sǎngzi	(名)	throat	(n.)	(12)
沙拉	shālā	(名)	salad	(n.)	(7)
商务部	shāngwùbù	(名)	Commercial Department; Ministry of Commerce	(n.)	(11)
商业	shāngyè	(名)	commerce	(n.)	(11)
上班	shàng bān	(动)	to go to work	(v.)	(5)
上网	shàng wǎng		be on the internet		(20)
上午	shàngwǔ	(名)	morning (between 8:00 and 12:00)	(n.)	(1)
稍	shāo	(副)	slightly, just	(adv.)	(4)
少	shǎo	(形)	few, not many	(adj.)	(6)
设备	shèbèi	(名)	equipment	(n.)	(9)
生病	shēng bìng		to be sick		(12)
师傅	shīfu	(名)	master	(n.)	(2)
十	shí	(数)	ten	(nu.)	(8)
时间	shíjiān	(名)	time	(n.)	(5)
使	shǐ	(动)	to use	(v.)	(16)
使馆	shǐguǎn	(名)	embassy	(n.)	(13)
事情	shìqing	(名)	thing	(n.)	(5)
试	shì	(动)	to try	(v.)	(14)
收	shōu	(动)	to receive	(v.)	(14)
收到	shōudào	(动)	to receive	(v.)	(6)
收费	shōu fèi	(动)	to collect fees	(v.)	(10)
收据	shōujù	(名)	receipt	(n.)	(14)
收拾	shōushi	(动)	to rearrange things in order	(v.)	(10)
手机	shǒujī	(名)	mobile phone	(n.)	(1)
手续	shǒuxù	(名)	formalities	(n.)	(13)

售票处	shòupiàochù	（名）	ticket office	(n.)	(19)
书	shū	（名）	book	(n.)	(20)
舒服	shūfu	（形）	comfortable	(adj.)	(12)
输	shū	（动）	to lose	(v.)	(20)
输入	shūrù	（动）	to type in	(v.)	(8)
熟悉	shúxi	（动）	to familiarize	(v.)	(7)
鼠标	shǔbiāo	（名）	mouse	(n.)	(16)
数	shǔ	（动）	to count	(v.)	(8)
刷	shuā	（动）	to swipe	(v.)	(8)
帅	shuài	（形）	smart	(adj.)	(11)
双方	shuāngfāng	（名）	both sides	(n.)	(17)
谁	shuí	（代）	who	(pron.)	(14)
水电费	shuǐ-diānfèi	（名）	charges for water and electricity		(9)
水龙头	shuǐlóngtóu	（名）	tap	(n.)	(10)
税	shuì	（名）	tax	(n.)	(17)
税务局	shuìwùjú	（名）	tax office	(n.)	(17)
说	shuō	（动）	to speak	(v.)	(4)
说话	shuō huà	（动）	to speak	(v.)	(20)
算	suàn	（动）	to calculate	(v.)	(9)
算数	suànshù	（动）	to count	(v.)	(20)
它	tā	（代）	it	(pron.)	(7)
太太	tàitai	（名）	wife	(n.)	(19)
烫	tàng	（动）	to have a perm	(v.)	(11)
套	tào	（量）	set	(mw.)	(6)
特别	tèbié	（副）	specially	(adv.)	(18)
特意	tèyì	（副）	specially	(adv.)	(6)
疼	téng	（动）	to have a pain	(v.)	(12)
提子	tízi	（名）	a type of fruit	(n.)	(4)
体温	tǐwēn	（名）	temperature	(n.)	(12)
替	tì	（介）	for	(prep.)	(19)
天桥	tiānqiáo	（名）	flyover	(n.)	(3)
填	tián	（动）	to fill in	(v.)	(8)
调料	tiáoliào	（名）	seasoning	(n.)	(15)
跳舞	tiào wǔ	（动）	to dance	(v.)	(20)
铁路	tiělù	（名）	railway	(n.)	(14)
厅	tīng	（名）	hall	(n.)	(1)

听	tīng	(动)	to listen	(v.)	(4)
停	tíng	(动)	to stop	(v.)	(2)
挺	tǐng	(副)	very	(adv.)	(3)
通	tōng	(形)	through	(adj.)	(12)
通过	tōngguò	(动)	to pass	(v.)	(17)
通知	tōngzhī	(动)	to notify	(v.)	(5)
头	tóu	(名)	end	(n.)	(3)
头发	tóufa	(名)	hair	(n.)	(11)
涂改液	túgǎiyè	(名)	correction fluid	(n.)	(16)
托运	tuōyùn	(动)	consign for shipment	(v.)	(14)
哇	wā	(象声词)	wah	(ono.)	(11)
外币	wàibì	(名)	foreign currency	(n.)	(8)
完	wán	(动)	to finish	(v.)	(7)
玩儿	wánr	(动)	to play	(v.)	(18)
晚上	wǎnshang	(名)	evening	(n.)	(20)
网球	wǎngqiú	(名)	tennis	(n.)	(20)
网线	wǎngxiàn	(名)	net line	(n.)	(9)
往	wǎng	(介)	to go to	(prep.)	(3)
卫生	wèishēng	(名)	hygiene, health	(n.)	(17)
卫生间	wèishēngjiān	(名)	toilet	(n.)	(9)
卫生局	wèishēngjú	(名)	public health bureau	(n.)	(17)
喂	wèi	(叹)	hello	(int.)	(1)
文件夹	wénjiànjiā	(名)	file, document holder	(n.)	(4)
文具	wénjù	(名)	stationery	(n.)	(16)
问候	wènhòu	(动)	to extend greetings	(v.)	(19)
问题	wèntí	(名)	problem, matter	(n.)	(16)
卧室	wòshì	(名)	bedroom	(n.)	(9)
屋子	wūzi	(名)	room	(n.)	(10)
五	wǔ	(数)	five	(num.)	(8)
物业	wùyè	(名)	estate	(n.)	(10)
西装	xīzhuāng	(名)	Western-style clothes	(n.)	(11)
希尔顿	Xī'ěrdùn	(专名)	Hilton	(pn.)	(3)
习惯	xíguàn	(动)	to get used to	(v.)	(19)
洗	xǐ	(动)	to wash	(v.)	(3)
洗发水	xǐfàshuǐ	(名)	shampoo	(n.)	(11)
洗手间	xǐshǒujiān	(名)	water closet	(n.)	(2)
洗头	xǐ tóu		to wash one's hair		(11)

下班	xià bān	（动）	to go off work	(v.)	(5)
先生	xiānsheng	（名）	sir, mister	(n.)	(7)
香蕉	xiāngjiāo	（名）	banana	(n.)	(6)
橡皮	xiàngpí	（名）	rubber	(n.)	(16)
销售	xiāoshòu	（动）	to sell	(v.)	(14)
信	xìn	（名）	letter	(n.)	(13)
信件	xìnjiàn	（名）	letter	(n.)	(18)
信用	xìnyòng	（名）	trustworthiness	(n.)	(20)
休息	xiūxi	（动）	to take a rest	(v.)	(12)
休闲	xiūxián	（动）	to relax, at one's leisure	(v.)	(20)
修理	xiūlǐ	（动）	to repair	(v.)	(10)
秀水街	Xiùshuǐ Jiē	（专名）	Xiushui Street	(pn.)	(2)
学习	xuéxí	（动）	to study	(v.)	(20)
延期	yán qī		to extend		(13)
盐	yán	（名）	salt	(n.)	(15)
燕山	Yānshān	（专名）		(pn.)	(18)
杨	Yáng	（专名）	*surname*	(pn.)	(7)
样	yàng	（量）	kind	(mw.)	(6)
样品	yàngpǐn	（名）	sample	(n.)	(14)
邀请	yāoqǐng	（动）	to invite	(v.)	(13)
药	yào	（名）	medicine	(n.)	(12)
一点儿	yì diǎnr	（名）	a little bit	(n.)	(6)
一共	yígòng	（副）	altogether	(adv.)	(7)
一刻	yí kè	（名）	a quarter of an hour	(n.)	(5)
一块儿	yíkuàir	（副）	together	(adv.)	(18)
衣服	yīfu	（名）	clothes	(n.)	(6)
医院	yīyuàn	（名）	hospital	(n.)	(12)
已经	yǐjing	（副）	already	(adv.)	(5)
以前	yǐqián	（名）	before, past	(n.)	(5)
椅子	yǐzi	（名）	chair	(n.)	(16)
音乐	yīnyuè	（名）	music	(n.)	(20)
音乐会	yīnyuèhuì	（名）	concert	(n.)	(20)
饮料	yǐnliào	（名）	beverage	(n.)	(7)
英镑	yīngbàng	（名）	Pound Sterling	(n.)	(8)
英语	Yīngyǔ	（名）	English	(n.)	(4)
赢	yíng	（动）	to win	(v.)	(20)
哟	yō	（叹）	oh	(int.)	(3)

用品	yòngpǐn	（名）	articles for use	(n.)	(3)
邮费	yóufèi	（名）	postage	(n.)	(14)
游泳	yóu yǒng	（动）	to swim	(v.)	(20)
有	yǒu	（动）	to have	(v.)	(4)
有关	yǒuguān	（形）	relevant	(adj.)	(5)
又	yòu	（副）	again	(adv.)	(15)
预订	yùdìng	（动）	to book in advance	(v.)	(7)
预付	yùfù	（动）	to pay in advance	(v.)	(9)
元	yuán	（名）	yuan (unit of Renminbi)	(n.)	(6)
圆珠笔	yuánzhūbǐ	（名）	ball pen	(n.)	(16)
远	yuǎn	（形）	far	(adj.)	(3)
约	yuē	（动）	to make an appointment with somebody	(v.)	(17)
约会	yuēhuì	（动）	have an appointment /date	(v.)	(11)
月	yuè	（名）	month	(n.)	(5)
运动	yùndòng	（动）	to do physical exercises	(v.)	(20)
运输	yùnshū	（动）	to transport	(v.)	(14)
咱们	zánmen	（名）	we (including the first, second and third parties)	(n.)	(1)
脏	zāng	（形）	dirty	(adj.)	(10)
早	zǎo	（形）	early, soon	(adj.)	(5)
怎么	zěnme	（代）	how	(pron.)	(2)
展销会	zhǎnxiāohuì	（名）	commodities fair	(n.)	(5)
占线	zhàn xiàn		engaged (of a telephone line)		(1)
张	Zhāng	（专名）	surname	(pn.)	(2)
张	zhāng	（动）	to open	(v.)	(12)
张	zhāng	（量）	piece	(mw.)	(13)
找	zhǎo	（动）	to look for	(v.)	(1)
这里	zhèlǐ	（代）	here	(pron.)	(2)
这些	zhèxiē	（代）	these	(pron.)	(6)
整理	zhěnglǐ	（动）	to put in order	(v.)	(10)
正式	zhèngshì	（形）	formal	(adj.)	(14)
证明	zhèngmíng	（名）	certificate	(n.)	(13)
支持	zhīchí	（动）	to support	(v.)	(7)
支票	zhīpiào	（名）	check	(n.)	(8)
知道	zhīdào	（动）	to know	(v.)	(1)

枝	zhī	（量）		(*mw.*)	(16)
只	zhǐ	（副）	only	(*adv.*)	(11)
纸	zhǐ	（名）	paper	(*n.*)	(15)
至	zhì	（动）	up to, till	(*v.*)	(5)
至少	zhìshǎo	（副）	at least	(*adv.*)	(9)
中发宾馆	Zhōngfā Bīnguǎn	（专名）	Zhongfa Hotel	(*pn.*)	(1)
中文	Zhōngwén	（名）	Chinese (language)	(*n.*)	(4)
中午	zhōngwǔ	（名）	noon	(*n.*)	(19)
忠实	zhōngshí	（形）	faithful	(*adj.*)	(7)
种类	zhǒnglèi	（名）	kinds, variety	(*n.*)	(6)
周	zhōu	（名）	week	(*n.*)	(17)
诸位	zhūwèi	（代）	everybody	(*pron.*)	(20)
主食	zhǔshí	（名）	staple food	(*n.*)	(7)
抓紧	zhuājǐn	（动）	to make best use of one's time	(*v.*)	(5)
转	zhuǎn	（动）	to connect (a call)	(*v.*)	(1)
转告	zhuǎngào	（动）	to pass on	(*v.*)	(17)
准备	zhǔnbèi	（动）	to prepare	(*v.*)	(5)
准时	zhǔnshí	（形）	on time	(*adj.*)	(19)
桌子	zhuōzi	（名）	table	(*n.*)	(10)
着	zhe	（助）		(*part.*)	(15)
租	zū	（动）	to rent	(*v.*)	(9)
嘴	zuǐ	（名）	mouth	(*n.*)	(12)
最	zuì	（副）	most	(*adv.*)	(20)
左	zuǒ	（名）	left	(*n.*)	(3)
左右	zuǒyòu	（名）	about	(*n.*)	(9)
坐车	zuò chē		to take a bus/car		(2)
做	zuò	（动）	to do	(*v.*)	(11)
作	zuò	（动）	to be used as	(*v.*)	(9)

练习参考答案
Key to the Exercises

第1课

三、

1. 打错 了
   dǎcuò le

2. 出去
   chūqù

3. 哪 位；JOHN
   nǎ wèi

4. 您 哪里
   nín nǎlǐ

5. 打他 手机
   dǎ tā shǒujī

6. 在
   zài

7. 占 线
   zhàn xiàn

8. 打不通
   dǎbutōng

四、

1. 是 我；哪 位
   shì wǒ nǎ wèi

2. 不 在
   bú zài

3. 打错 了
   dǎcuò le

4. 您 哪 位/您 哪里
   nín nǎ wèi nín nǎlǐ

5. 打他 手机
   dǎ tā shǒujī

6. 占 线
   zhàn xiàn

7. 是……；您 哪里/哪 位
   shì nín nǎlǐ nǎ wèi

zài ma　bù zhīdào

8.……在 吗；不　知道

五、

Wáng Guāng　Wáng jīnglǐ zài ma

1. 王　光；　王　经理 在 吗？

dǎ Xiǎo Wáng de shǒujī

2. 打 小　王 的 手机

Wáng Guāng zài fēijī shàng shǒujī méi kāi

3. 王　　光 在飞机　上，手机　没 开

wèi　shì Liú jīnglǐ ma

4. 喂，是 刘　经理 吗？

第 2 课

三、

shàng chāoshì zuò chē dǎ chē

1. 上　　超市；坐　车／打　车

qù càishìchǎng zuò chē

2. 去　菜市场；　坐　车

jiǔbā

3. 酒吧

tíng zhèr　fāpiào

4. 停 这儿；发票

四、

shàng càishìchǎng

1. 上　　菜市场

nǐ qù nǎr　chāoshì

2. 你 去 哪儿；超市

gōngsī qù

3. 公司；去

shénme shíhou jiē

4. 什么　时候 接

qù gōngsī dǎ chē qù

5. 去　公司；打 车　去

五、

Xiùshuǐ Jiē

1. 秀水　街。

shàng nǎr

2. 上 哪儿？

yào

3. 要。

bù qù Guìyǒu Bīnguǎn

4. 不，去 贵友 宾馆。

nǐ xiān huí gōngsī ba

5. 你 先 回 公司 吧。

bù zhīdào yào děng Xiǎo Wáng de diànhuà

6. 不 知道，要 等 小 王 的 电话。

第3课

三、

diànqì wǔ

1. 电器；五

Xī'ěrdùn qiánbiān zěnme zǒu wǎng nán guǎi

2. 希尔顿；前边；怎么 走；往 南 拐

pángbiān

3. 旁边

zěnme zǒu cháo yòu guǎi

4. 怎么 走；朝 右 拐

四、

zài jǐ céng lóu zài sān céng lóu zài nǎr

1. 在 几 层 / 楼；在 三 层 / 楼；在 哪儿

zài nǎr zài jǐ lóu zài jiǔ lóu

2. 在 哪儿 / 在 几 楼；在 九 楼

zuǒ yòu guǎi

3. 左 / 右 拐

zěnme zǒu wǎng yòu

4. 怎么 走；往 右

五、

qǐngwèn huàzhuāngpǐn zài jǐ céng

1. 请问， 化妆品 在 几 层？

zài dìxià chāoshì

2. 在 地下 超市。

zǒu dào tóu wǎng zuǒ guǎi zuò diàntī
3.走 到 头，往 左 拐，坐 电梯。

qù Jīngběi Dàshà wǎng běi yì zhí zǒu zài wǎng dōng
4.去 京北 大厦，往 北，一直 走，再 往 东。

第 4 课

三、

shuō de bú cuò shuō de bù hǎo
1.说 得 不 错；说 得 不 好

shuō gěi fānyì yíxià
2.说；给 翻译 一下

zěnme shuō
3.怎么 说

tīngbudǒng
4.听不懂

Fǎyǔ bú huì shuō
5.法语；不 会 说

四、

shuō de bú cuò shuō de bù hǎo
1.说 得 不 错；说 得 不 好

tīngbùdǒng gěi nǐ fānyì yíxià
2.听不懂； 给你 翻译 一下

shuō de bú cuò shuō de bù hǎo huì shuō Yīngyǔ
3.说 得 不 错；说 得 不 好；会 说 英语

zěnme shuō bú huì shuō
4.怎么 说；不 会 说

tīng dǒng tīngbudǒng
5.听 懂； 听不懂

五、

shuō de bú cuò
1.说 得 不 错。

tīngbudǒng
2.听不懂。

gěi Liú jīnglǐ fānyì Màikè de huà
3.给 刘 经理 翻译 麦克 的 话。

    huì yì diǎnr

4．会 一 点儿

    zhège Hànyǔ zěnme shuō

5．这个，汉语 怎么 说？

第5课

三、

    shàng bān　láibují　láidejí

1．上 班；来不及；来得及

    kāi yǎn zǎo

2．开 演；早

    bàn

3．半

  shénme shíhou xīngqī jǐ

4．什么 时候；星期 几

  shénme shíhou

5．什么 时候

四、

    chídào jǐ diǎn wǎn zǎo

1．迟到；几 点； 晚；早

    jǐ diǎn liǎng diǎn èrshí zǎo

2．几 点； 两 点 二十；早

    jǐ　shénme shíhou wǔ　sān

3．几； 什么 时候；五；三

  shénme shíhou èrlínglíngsì wǔ bā èrlínglíngsān qī zǎo wǎn

4．什么 时候；二零零四；五；八； 二零零三 七；早；晚

五、

    shíèr diǎn bàn

1．十二 点 半。

    liǎng diǎn sìshíwǔ fēn

2．两 点 四十五 分。

  èrlínglíngwǔ nián yī yuè shíwǔ rì zhì èrshí rì

3．二零零五 年 一 月 十五 日至 二十 日。

    dào shíyī yuè sānshí hào

4．到 十一 月 三十 号。

    qī hào

5．七 号。

第6课

三、

　　duōshao qián guì
1．多少　　钱；贵
　　duōshao qián piányi
2．多少　　钱；便宜
　　tài guì le duōshǎo piányi
3．太　贵　了；多少；便宜
　　duōshao gāo
4．多少；　高

四、

　　duōshao qián piányi
1．多少　　钱；便宜
　　duōshao qián gāo
2．多少　　钱；高
　　duōshao qián piányi yì diǎnr duōshao dī
3．多少　　钱；便宜一　点儿；多少；　低
　　duōshǎo qián tài dī le
4．多少　　钱；太低了

五、

　　kàn xīn chǎnpǐn
1．看　新　产品。
　　jiǔ bǎi bāshí yuán
2．九百　八十　元。
　　tài guì le
3．太　贵了。
　　jiàgé piányi yì diǎnr
　　价格　便宜一　点儿。
　　néng kěyǐ
4．能／可以。

第7课

三、

　　jǐ wèi yùdìng bāojiān kǎlā OK
1．几位；预订；包间；卡拉OK

lái diǎn yào lái diǎn yào
2. 来 / 点 / 要；来 / 点 / 要

hē kělè píjiǔ lái
3. 喝；可乐；啤酒；来

miàntiáo yào lái
4. 面条；要 / 来

四、

bāojiān jǐ wèi kǎlā OK
1. 包间；几位；卡拉 OK

diǎn yí fèn shālā yí gè niúròu hē píjiǔ guǒzhīr
2. 点；一份 沙拉；一个 牛肉；喝；啤酒 果汁儿

mǐfàn yí fèn bāozi yì wǎn miàntiáo
3. 米饭；一份 包子；一碗 面条

chī hē qǐng kè
4. 吃；喝；请客

五、

yǒu bāojiān ma
1. 有 包间 吗？

yǒu
2. 有。

sì gè
3. 四个。

jié zhàng
4. 结账。

jiǔ hé yǐnliào
5. 酒和 饮料。

hóng pútáojiǔ guǒzhīr
6. 红 葡萄酒、果汁儿。

第8课

三、

huàn yīngbàng rìyuán rénmínbì
1. 换；英镑；日元；人民币

cún dānzi cúnkuǎndān
2. 存；单子；存款单

qǔ　duōshao shūrù cúnzhé

3．取；多少；输入；存折

zhīpiào hùzhào tián

4．支票；护照；填

cún huàn huìjià

5．存；换；汇价

shuā kǎ　kǎ

6．刷卡；卡

四、

cún qián qǔ qián dānzi qǔkuǎndān cúnkuǎndān

1．存钱；取钱；单子；取款单；存款单

duìhuàn zhīpiào hùzhào tián tián

2．兑换；支票；护照；填；填

huàn qián ōuyuán

3．换钱；欧元

huàn qián huìjià

4．换钱；汇价

五、

cún qián huàn qián

1．存钱、换钱。

huàn wǔbǎi měiyuán

2．换五百美元。

cúnkuǎndān qǔkuǎndān

3．存款单、取款单。

jīntiān de měiyuán huìjià shì duōshǎo

4．今天的美元汇价是多少？

cúnzhé

5．存折。

第9课

三、

zū fáng jūzhù

1．租房；居住

duō dà chúfáng kètīng wòshì fángzhū dìngjīn

2．多大；厨房；客厅；卧室；房租；定金

bàngōng duō cháng shíjiān píngmǐ kōngtiáo wǎngxiàn

3. 办公；多　长　时间；平米；空调；　网线

dàtīng duō dà fángjiān huìkèshì

4. 大厅；多大；房间；会客室

四、

zūfáng jūzhù

1. 租房；居住

bàngōng jūzhù zū duō dà zū duō cháng shíjiān

2. 办公；居住；租 多 大；租 多　长　时间

wòshì wèishēngjiān kètīng yǒu duō dà duōshao yùfù dìngjīn

3. 卧室；　卫生间；　客厅；有　多　大；多少；预付　定金

五、

bàngōng yòngfáng

1. 办公　　用房。

sān-sìbǎi píngmǐ

2. 三四百　平米。

měi píngfāngmǐ liù yuán

3. 每　平方米　六　元。

zhìshǎo liǎng nián

4. 至少　两　年。

yǒu kōngtiáo diànhuà wǎngxiàn

5. 有　空调、　电话、　网线。

zài nàbiān

6. 在　那边。

第10课

三、

bǎ xǐ

1. 把；洗

bǎ zhěnglǐ zhěnglǐ

2. 把；整理；　整理

bǎ nuó bǎ shōushi

3. 把；挪；把；收拾

dì yíxià dǎsǎo bùzhì

4. 地；一下；打扫；布置

四、

　　bǎ　shōushi zhěnglǐ bǎ　jiāo
1．把；收拾／ 整理；把；交
　　bǎ　zhěnglǐ xiūlǐ
2．把；整理；修理
　　xiūlǐ　shōushi dǎsǎo
3．修理； 收拾／ 打扫
　　bǎ sòng bǎ
4．把；送；把

五、

　　xǐshǒujiān de shuǐlóngtóu ràng rén　xiūlǐ yíxià
1．洗手间　 的　 水龙头；让 人 修理 一下。
　　fàng zài zhuōzi shàng
2．放 在 桌子 上。
　　bù gānjìng　bǎ fángjiān dǎsǎo gānjìng
3．不　 干净；把 房间 打扫　 干净。
　　bǎ nà xiē dōngxi zhěnglǐ yíxià
4．把 那些 东西　 整理 一下。
　　lái shōu fèi
5．来 收 费。
　　kěyǐ néng
6．可以／能。

第11课

三、

　　lǐ　fà　xǐ tóu
1．理发；洗 头
　　tàng tàng tàng piàoliang
2．烫； 烫； 烫；　漂亮
　　lǐ fà　jiǎn　xǐtóu
3．理 发；剪；洗头
　　shuài míngpái
4．帅；　名牌

四、

　　shuài kāizhāng
1．帅；　开张

269

        lǐ fà   lǐ   jiǎnjiǎn xǐ tóu rè

2. 理发；理；剪剪；洗头；热

        tóufa xǐfàshuǐ

3. 头发；洗发水

        zuò xǐ tóu lǐ fà kāizhāng lǐfàdiàn

4. 做；洗头；理发；开张；理发店

五、

        xīn xīzhuāng

1. 新　西装。

        hěn piàoliang

2. 很　漂亮。

        zài yì jiā xīn kāizhāng de lǐ fà diàn

3. 在一家新　开张　的理发店。

         lǐ fà

4. 理发。

        jiǎn duǎn diǎnr

5. 剪　短　点儿。

        kěyǐ

6. 可以。

第12课

三、

        tóuténg fā shāo tōng yào xiūxi

1. 头疼；发　烧；通；药；休息

        zěnme tōng téng gǎnmào hóng xiūxi

2. 怎么；通；疼；感冒；红；休息

       nánshòu gǎnmào huí jiā

3. 难受；　感冒；回家

        bìng jià zěnme xiūxi

4. 病；假；怎么；休息

四、

        tóu téng bízi bù tōng késou fā shāo gǎnmào

1. 头　疼／鼻子不　通／咳嗽／发　烧；　感冒

        tóu téng késou bízi bù tōng xiūxi liǎng tiān

2. 头　疼／咳嗽／鼻子不　通；休息　两　天

shūfu nánshòu bú yòng hǎo ba
3. 舒服；难受；不 用 / 好 吧
hǎo dianr hǎo duō xiūxi
4. 好 点儿 / 好 多；休息

五、

tā bìng le
1. 她 病 了。
gānmàn le tǐng lìhai de fā shāo sānshíjiǔ dù
2. 感冒 了，挺 厉害的，发 烧 三十九 度。
tā yào qǐng jià
3. 她 要 请 假。
tóu yǒu diǎn téng yǒu diǎn tóu téng
4. 头 有点 疼 / 有 点 头疼。
yào bu yào qù yīyuàn kànkan yào bu yào huí jiā xiūxi
5. 要 不 要 去 医院 看看，要 不 要 回家休息。

第13课

三、

qiānzhèng hùzhào yāoqǐng
1. 签证； 护照； 邀请
hùzhào yāoqǐng zhàopiàn dàshǐguǎn
2. 护照； 邀请； 照片； 大使馆
yāoqǐng dàshǐguǎn qiānzhèng
3. 邀请； 大使馆； 签证
dào qī gōng'ānjú yán qī
4. 到 期；公安局；延 期

四、

bàn
1. 办
shǒuxù yāoqǐng
2. 手续； 邀请
hùzhào yāoqǐng hùzhào yāoqǐng xìn dàshǐguǎn
3. 护照； 邀请； 护照； 邀请 信；大使馆
dào qī gōng'ānjú yán qī
4. 到 期；公安局； 延 期

五、

    bàn qiānzhèng

1. 办   签证。

    hùzhào duìfāng de yāoqǐng xìn liǎng zhāng zhàopiàn

2. 护照、对方的 邀请 信、两 张 照片。

    Fǎguó dàshǐguǎn

3. 法国 大使馆。

    qù gōng'ānjú bàn yíxià yán qī shǒuxù

4. 去 公安局 办 一下 延期 手续。

第14课

三、

    jì jì yóufèi jì shōu

1. 寄；寄；邮费；寄/收

    fā shōuhuò fā shōuhuò tuōyùn

2. 发；收货；发；收货；托运；00987

    fā shōuhuò tiělù gōnglù tiělù

3. 发；收货；铁路；公路；铁路；E-mail

    jì jì dào shōujù

4. 寄；寄到；收据

四、

    jì dào Měiguó Rìběn Fǎguó

1. 寄 到；美国／日本／法国

    yóufèi tián yíxià tián shōujù

2. 邮费；填 一下；填；收据

    chá fā de huò tiělù gōnglù tuōyùndān

3. 查；发的货；铁路 公路 托运单

    shōudào chuánzhēn

4. 收到；E-mail；传真

五、

    kuàidì gōngsī de

1. 快递 公司 的。

    jì dào Guǎngzhōu

2. 寄 到 广州。

    shōudào yàngpǐn hòu gěi wǒ fā gè

3. 收到 样品 后，给 我 发个 E-mail。

Guǎngzhōu huàzhuāngpǐn gōngsī

4．广州　　　化妆品　　　公司。

tiělù

5．铁路。

第 15 课

三、

láojià bāng máng bāng

1．劳驾；帮；　忙；帮

láojià bāng bāng dì

2．劳驾；帮；　帮；递

bāng jiǎn

3．帮；捡

zhàogù

4．照顾

四、

zhàogù

1．照顾

láojià bāng

2．劳驾；帮

bāng

3．帮

bāng gè máng bāng

4．帮　个　忙；帮

五、

láojià bāng wǒ jiǎn yíxià

1．劳驾，帮　我　捡　一下。

Dīng Guāng máfan nǐ guòlái bāng wǒ kànkan

2．丁　光，　麻烦　你　过来　帮　我　看看。

bāng tā kànkan dǎyìnjī wèishénme qiǎ zhǐ le

3．帮　她　看看　打印机　为什么　卡　纸了。

bāngbāng máng bā wǒmen de kèhù děng zhe fā huò ne

4．帮帮　　忙　吧，我们　的　客户　等　着　发　货　呢。

273

第16课

三、

hǎo shǐ
1. 好 使

yòng zhuōzi zhuōzi
2. 用；桌子；桌子

wénjù běnzi
3. 文具；本子

máobìng dǎyìnjī
4. 毛病； 打印机

四、

dǎ kǎ
1. 打 卡

zhuōzi yòng yǐzi zhuōzi diànnǎo
2. 桌子；用；椅子／桌子／ 电脑

chuánzhēnjī fùyìnjī wénjù běnzi bǐ ruǎnpán
3. 传真机；复印机；文具；本子；笔； 软盘

zhǐ dǎyìnjī ruǎnpán bǐ lǐng
4. 纸；打印机； 软盘；笔；领

五、

fùyìnzhǐ
1. 复印纸。

ruǎnpán
2. 软盘。

xīn diànnǎo
3. 新 电脑。

huài le
4. 坏 了。

liǎng zhī bǐ yí gè běnzi
5. 两 枝笔、一 个 本子。

第17课

三、

jiàn gè miàn
1. 见 个 面

274

wèishēng nǎtiān néng bu néng ānpái shíjiān zhōusān xīngqīsān zhōusān

2．卫生；　哪天；能　不　能；安排；时间；周三／　　星期三；　周三／

xīngqīsān

　星期三

yuē shíjiān jiàn gè miàn xīngqī zhōu

3．约；时间；见　个　面；星期／　周

yuē yuē

4．约；约

四、

nǎtiān fāngbiàn jiàn gè miàn zhōu liánxì

1．哪天　　方便；见　个　面；周；联系

néng bu néng gěi ānpái gè shíjiān zhōusān

2．能　不　能　给　安排　个　时间；周三

jiàn gè miàn gēn tā yuēhǎo le

3．见　个　面；跟　他　约好　了

nǎtiān fāngbiàn jiàn gè miàn kěyǐ

4．哪天　　方便；见　个　面；可以

五、

wèi le guǎnggào de shì

1．为　了　广告　的　事。

méiyǒu

2．没有。

gěi ānpái gè jiàn miàn de shíjiān

3．给　安排　个　见　面　的　时间。

xīngqīsì xiàwǔ

4．星期四　下午。

jiāo shuì de shì

5．交　税　的　事。

yuē gè shíjiān jiàn miàn shuāngfāng héduì yíxià

6．约　个　时间　见　面，　双方　　核对　一下。

第18课

三、

ràng lái

1．让；来

zhǎo

2. 找

zhǎo chēnghū zhǎo

3. 找； 称呼； 找

guòlái lái wánr wánr fēngjǐng liánxì

4. 过来；来；玩儿 玩儿； 风景； 联系

四、

guòlái dìng

1. 过来；订

jiào ràng lái jiào ràng lái

2. 叫/让；来；叫/让；来

zài zhǎo

3. 在；找

zhǎo

4. 找

五、

Xiǎo Wáng hé Dīng Guāng

1. 小 王 和 丁 光。

Màikè zhǎo tā

2. 麦克 找 他。

Xiǎo Bái nǐ guòlái yíxià

3. 小 白，你 过来 一下。

zhǎo Huáng chùzhǎng

4. 找 黄 处长。

Huáng chùzhǎng gōngsī de rén zhǎo nǐ

5. 黄 处长，BM公司 的 人 找 你。

第19课

三、

nǎ tiān jīpiào

1. 哪 天；机票

nǎ tiān hángbān qǐfēi dào jīchǎng jiē

2. 哪 天；航班；起飞；到；机场 接

dìng dìng gōngwù yào dìng

3. 订；订；公务；要／订

zuò hángbān fēijī yùdìng fǎnchéng
4．坐； 航班／飞机；预订   返程

四、

shòupiàochù dìng jīpiào dìng nǎtiān hángbān fēijī
1．售票处； 订；机票；订 哪天； 航班／飞机
　　nǎ tiān dìng hángbān fēijī jiē
2．哪 天；订； 航班／飞机；接
　　nǎ tiān hángbān fēijī jiē
3．哪 天； 航班／飞机；接
　hángkōng gōngsī jīpiào dìzhǐ
4．航空   公司；机票；地址

五、

hángkōng gōngsī shòupiàochù
1．航空   公司   售票处。
　　liǎng zhāng dào Guǎngzhōu de jīpiào
2．两 张   到   广州   的 机票。
　　liǎng gè
3．两 个。
　　fēijī
4．飞机。
　　xià xīngqī yī
5．下 星期一。
　　xūyào
6．需要。

第20课

三、

gāo'ěrfū bǎolíngqiú bǎolíngqiú gāo'ěrfū
1．高尔夫／ 保龄球； 保龄球／ 高尔夫
diànyǐng yīnyuè àihào yùndòng jīngjù jīngjù jīngjù
2．电影； 音乐；爱好 运动；京剧；京剧；京剧
chàng gē tiào wǔ kǎlā OK chàng kǎlā OK
3．唱 歌；跳 舞；卡拉OK；唱 卡拉OK
xǐhuan shàng wǎng yùndòng xuéxí
4．喜欢； 上 网； 运动；学习

四、

　　měi　xiūxián　wánr
1. 美；休闲；玩儿

　　kàn diànyǐng tīng yīnyuè yīnyuè yīnyuè
2. 看　电影；听　音乐；音乐；音乐

　　qiú wǎngqiú gāo'ěrfū qiú gāo'ěrfū qiú wǎngqiú bǐsài
3. 球；网球；高尔夫 球；高尔夫 球／网球；比赛

　　hē jiǔ hē jiǔ qiú bǎolíngqiú wǎngqiú dǎ sàn bù
4. 喝酒;喝酒;球／保龄球 ／ 网球；打；散步

五、

　　xǐhuan dǎ wǎngqiú
1. 喜欢 打　网球。

　　qǐng tā hē jiǔ
2. 请 他喝酒。

　　xǐhuan tīng yīnyuè
3. 喜欢　听 音乐。

　　tài měi le shì gè xiūxián de hǎo dìfang
4. 太 美 了，是 个 休闲 的 好　地方。

　　dǎ qiú yóu yǒng chàng gē tiào wǔ
5. 打 球、游 泳、 唱　歌、跳 舞。

　　kàn shū kàn diànshì kàn diànyǐng
6. 看　书、看　电视、看　电影。